S.F.
V.

Gerhard Roth
Die Geschichte der Dunkelheit
Ein Bericht

S. Fischer

Umschlaggestaltung nach einer Zeichnung von Peter Pongratz
Satz und Druck: Wagner GmbH, Nördlingen
Einband: G. Lachenmaier, Reutlingen
Printed in Germany 1991
ISBN 3-10-066046-3

I

Nach zehn Jahren, die ich auf dem Land verbracht hatte, bezog ich die Wohnung meines ehemaligen Studienkollegen Ascher in Wien, während Ascher in meinem Haus an der jugoslawischen Grenze Selbstmord beging.

Ich habe mein Medizinstudium nach sechs Semestern abgebrochen, um Schriftsteller zu werden. Ascher wurde Arzt, zuerst in Wien, dann im Landeskrankenhaus Graz. Ab und zu erhielt ich einen Brief, in dem er zu meinen Büchern Stellung nahm. Jedesmal, wenn wir uns trafen, sprach er über Österreich, an dem er litt, das er aber auch liebte, wie kaum jemand, den ich vorher oder später kennenlernte. Und immer wollte er Auskünfte, Auskünfte über die politische Entwicklung, das Leben unter den Bauern – vor allem aber über die österreichische Geschichte, den »verdrängten Alptraum«, wie er sagte. Nie besuchte er mich in meinem Haus, weil er mich »nicht stören« wollte, in Wirklichkeit war er ein ausgeprägter Stadtmensch, der sich auf dem Land und in der Natur verloren fühlte.

»Wenn ich gezwungen wäre, als Landarzt zu leben, würde ich mich erschießen«, rief er öfters aus. Er erschoß sich auch mit einem Jagdgewehr, und ich machte mir Vorwürfe, daß ich seine Ankündigungen nicht ernstgenommen habe. Ascher war ein skrupulöser Mensch, ein Grübler und Zauderer. Um so absurder ist es, daß ausgerechnet ihm ein Kunstfehler unterlief. Noch bevor sein Fall in der Grazer »Kleinen Zeitung« breitgetreten wurde, rief er mich an und gestand mir sein Unglück, bei dem ein elfjähriger Bub ums Leben gekommen war. Er sagte, er habe einen Menschen ermordet. Wie man es auch drehe und wende, es sei Mord gewesen. Einige Wochen später machte er mir in einem Brief den Vorschlag, ich möge in seine freistehende Wiener Wohnung ziehen und ihm das Haus, das ich selbst nur gemietet hatte, für einige Zeit überlassen, da er seine Stelle im Landeskrankenhaus verloren habe. Ich hatte ohnedies vor, nach Wien, dem »Wasserkopf von Österreich«, wie die Hauptstadt in der Provinz heißt, zu gehen und stimmte sogleich zu.

In Wien fing ich an, Artikel zur Politik und Geschichte Österreichs für deutsche Zeitungen zu schreiben, woraus man mir später den Vorwurf des Landesverrates machte, als würde es in Österreich Zeitungen geben, für die man als freier Schriftsteller arbeiten kann, ohne unter die Armutsgrenze zu fallen. Von Anfang an hatte ich die Absicht, einen Roman über Österreich zu schreiben, über den offen daliegenden Wahnsinn der österreichischen Geschichte und den versteckten des österreichischen Alltags. Erst der Selbstmord Aschers brachte mich dazu, meine Arbeit aufzunehmen.

Aschers Wohnung befand sich in der Döblinger Hauptstraße. Mein erster Spaziergang führte mich in den Währinger Park, an dessen Rand ein aufgelassener jüdischer Friedhof liegt. Es war November und

Laub fiel von den Bäumen, die sich zwischen den umgestürzten Grabsteinen erhoben. Im Gezweig hockte ein Krähenschwarm. Der Friedhof war von einer Mauer umgeben, die von einem Haus mit zugemauerten Fenstern ausging. Der Anblick brachte mich auf den Gedanken, als erstes den Lebenslauf eines österreichischen Juden zu beschreiben, der Wien 1938 verlassen hatte und nach dem Zweiten Weltkrieg zurückgekommen war. In Österreich denkt man, daß die Exilanten vergleichsweise glückliche Menschen gewesen sind, die es sich im Ausland gut gehen ließen. Selbstverständlich wollte man nach dem Krieg keinen von ihnen wiedersehen. Die österreichischen Juden waren von der übrigen Bevölkerung 1938 nicht nur nach Strich und Faden ausgeplündert, sondern in ihrer Notlage (vor der Flucht ins Ausland, wenn sie ihnen überhaupt gelang) ausgenutzt und übers Ohr gehauen worden. Bestenfalls schacherte man ihnen ihr Eigentum ab, die Flüchtenden wußten, wie deren österreichische Geschäftspartner, daß ein Pappenstiel besser ist als nichts. Auch der Kärntner Landeshauptmann könnte ein Lied davon singen, denn der ihm vermachte Besitz, das Bärental, rührt von genauso dubiosen und gemeinen Machinationen her, wie viele Wohnungen im Zweiten Bezirk, in denen heute Wiener leben.

In meiner Freizeit suchte ich alle Plätze auf, an denen sich das Leben der Juden vor dem Einmarsch der Nazis abgespielt hatte, vor allem den Zweiten Bezirk, die Leopoldstadt. Ich ging gerne durch die Leopoldstadt, obwohl sie jetzt ein dumpfer Bezirk ist, ein trauriger, ein ausgestorben wirkender. Mehr als vier Jahre habe ich mich mit dem jüdischen Wien befaßt, mit den in der sogenannten Reichskristallnacht verbrannten Tempeln, den »verschwundenen« Kaffeehäusern und Geschäften und schließlich mit jenem Denken, das die Zerstörung des jüdischen Lebens in Österreich bewirkt hat. Als ich Karl Berger 1987 kennenlernte, war er 68 Jahre alt.

Seine Bekanntschaft war mir, nachdem ich vergeblich einen Remigranten gesucht hatte, von meiner Verlegerin vermittelt worden. Auf unser erstes Gespräch hin trafen wir uns regelmäßig, zumeist in seiner Wohnung. In der kleinen Küche schrieb ich in Notizbüchern mit, was er mir von seinem Leben erzählte. Ich gebe diese für das Lesen übersetzten Aufzeichnungen ohne große Änderungen wieder, weil ich glaube, daß Bergers Berichte so modellhaft sind, daß sich die Grenzen zwischen Dokument und Literatur in ihnen aufheben.

II

Erster Bericht

Die Vorfahren

Mein Urgroßvater mütterlicherseits hieß Jakob Edelmann. Er saß im hohen Alter zumeist auf einer Bank in einer Allee vor dem Augarten in Wien. Er war fein gekleidet, trug einen Kaftan aus Seide und einen eleganten schwarzen Hut. Ich erinnere mich besonders an seinen weißen Bart. Zumeist unterhielt er sich mit zufällig vorbeikommenden Bekannten. Ursprünglich besaß er in der Nähe von Sarajewo ein Gut und ein Wirtshaus, in dem die Soldaten der Garnison verkehrten. Eine seiner Töchter verliebte sich in einen Offizier, der nicht jüdischer Abstammung war, und als Jakob ihm die Erlaubnis verweigerte, seine Tochter zu heiraten, erschoß der Offizier seine Geliebte und dann sich selbst. Jakobs erste Frau war darüber so verzweifelt, daß sie sich in der Drina ertränkte. Er selbst wurde damals orthodox. Zeitlebens trug er die Kippa, die runde, flache Kopfbedeckung (auch unter dem Hut). Später gründete er in Wien, wohin er nach dem Tod der Tochter und dem Selbstmord seiner Frau gezogen war, ein Bethaus am Karmelitermarkt, das »Machsikei Hadas« (»Festhalten am Glauben«) hieß. Nachdem er ein kleines Antiquitätengeschäft aufgemacht hatte, heiratete er ein zweites Mal, und zwar die Witwe Käthe Bienenfeld, die zwei Söhne in die Ehe mitbrachte, Jacques und Joseph. Diese erlangten, nachdem sie nach Frankreich ausgewandert waren, eine zweifelhafte Berühmtheit in monarchistischen Kreisen Österreichs. Sie kauften den Schmuck des abgedankten und in Not geratenen Österreichischen Kaiserpaares Karl und Zita auf, waren aber nur bereit, den reinen Gold- und Edelsteinwert dafür zu bezahlen. (Jacques und Joseph waren keine gläubigen Juden.) Sie wurden später angeklagt, daß sie die Not des Kaiserpaares ausgenutzt hätten, gingen aber frei aus und wurden sehr reich. Innerhalb der Familie blieben sie allerdings geächtet, bis Adolf Hitler an die Macht kam. Dann erst versöhnten sich die Familienmitglieder. Besonders mein Großvater Simon Venetianer, der die einzige Tochter aus Jakobs zweiter Ehe, Dorothea Edelmann heiratete, wollte von Jacques und Joseph Bienenfeld nichts wissen. Er war österreichischer Monarchist. Seine Eltern besaßen etwas Wald und ein Sägewerk in der Slowakei. Vermutlich wäre mein Großvater dort geblieben, hätte ihn nicht ein betrunkener slowakischer Verwalter als Juden beschimpft und tätlich angegriffen. Simon setzte sich zur Wehr und tötete ihn. Daraufhin floh er nach Wien und weiter nach Budapest. (Er wechselte seinen Wohnsitz im Laufe seines Lebens ständig zwischen beiden Städten.) Nachdem Gras über die Sache gewachsen war, machte er in Wien am Franz Josefs-Kai eine Kistenfabrik auf. Später verkaufte er sie wieder, um sich ganz dem Schreiben zu widmen. Mein Großvater war ein gebildeter Mann, er sprach Lateinisch und Altgriechisch und schrieb unter dem Pseudonym Vineta für den »Pester Lloyd«, eine deutschsprachige Zeitung in

Budapest. Außerdem hielt er Vorträge in der »Scholle«, wo auch Karl Kraus auftrat. Er war das schwarze Schaf in der Familie, trat aus der jüdischen Gemeinde aus und wurde Freidenker. Das Schriftstellerdasein war für ihn wenig profitabel. Er lebte vom Geld, das er durch den Verkauf der Fabrik erlangt hatte und von seiner Erbschaft. Als Mitglied des Vereins »verkühle dich täglich« schwamm er mehrmals im Winter über die Donau – er eiferte dem »mens sana in corpore sano« (ein gesunder Geist in einem gesunden Körper) der alten Römer nach. Gina Venetianer, meine Mutter, war das einzige Kind aus seiner Ehe mit Dorothea Edelmann. Simon war kein guter Vater. Er behandelte seine Tochter schlecht. Zur Strafe ließ er sie nicht selten auf Erbsen knien, einmal sogar als der österreichische Schriftsteller Franz Karl Ginzkey, mit dem er gerne Schach spielte und nächtelang diskutierte, auf Besuch in seine Wohnung kam. Simon hatte sich einen Sohn gewünscht und konnte nicht verwinden, daß es eine Tochter wurde. Er hat hingegen seine Frau Dorothea das ganze Leben lang verehrt, obwohl er sich von ihr scheiden ließ, nachdem er im Ersten Weltkrieg Kriegsanleihen für die Habsburgermonarchie gezeichnet und sogar sein Haus eingesetzt hatte. Da er alles verlor, konnte er seine Familie nicht mehr ernähren. Er blieb Dorothea aber bis zu seinem Tod freundschaftlich verbunden. Im Ersten Weltkrieg lernte er den k. u. k. Leutnant Adolf Berger, meinen späteren Vater, kennen und lud ihn zu sich nach Hause ein. Adolf Berger stammte aus einer Gegend der Tatra, Mikloš, in der Slowakei. Er war der jüngste einer nicht sehr wohlhabenden Familie von neun Brüdern und einer Schwester. Im Laufe der Zeit wurden ihre Mitglieder über die ganze Welt verstreut, nach Budapest, Wien und sogar Amerika. Mein Vater war Vertreter bei Bernhard-Altmann-Strickwaren und betreute den Wiener Raum. Er war tüchtig und korrekt, und man beneidete ihn um seine Stelle. Selbst in der Zeit zwischen dem Ersten und dem Zweiten Weltkrieg, als die Arbeitslosigkeit am größten war, behielt er seinen Posten. Wie gut sein Ruf war, geht daraus hervor, daß Bernhard Altmann mir nach dem Zweiten Weltkrieg aus der Schweiz zehn Pfund schickte, um die ich ihn gebeten hatte, als ich das Geld für die Erlangung der englischen Staatsbürgerschaft brauchte.

Adolf Berger heiratete meine Mutter Gina, als sie 18 Jahre alt war und hatte mit ihr außerdem eine Tochter Edith, Ditta genannt. Sie ist heute verwitwet und lebt in Marienbad.

Kindheit

Ich wurde am 27. Jänner 1919 in Wien geboren. Meine frühesten Erinnerungen sind bruchstückhaft und allgemeiner Natur.

Im Sommer fuhr ich mit meinen Eltern zu den Verwandten meines Vaters in die Slowakei. Dort lebten sogenannte »Landjuden« und betreuten kleine Bauernhöfe. In allen slowakischen Orten hat es damals jüdische Gemeinden gegeben. Man zog vor allem Hühner und Gänse; ich erinnere mich noch daran, wie man sie schoppte. Auch an die Sprachvielfalt erinnere ich mich: man hörte Deutsch, Slowakisch und Ungarisch. Die Juden waren zum Großteil frommer als jene in Wien. Sie besuchten regelmäßig den Tempel und hielten sich strenger an die Glaubensvorschriften. Mein Vater war nach dem Ersten Weltkrieg, als die Monarchie zerbrach, tschechoslowakischer Staatsbürger geworden und auch geblieben. Wir Kinder waren ebenfalls tschechoslowakische Staatsangehörige, wie übrigens viele Juden, die in Wien lebten.

Unsere Wohnung war klein. Sie bestand aus einem Zimmer, Kabinett, Vorzimmer, Küche und Toilette. Da kein Bad vorgesehen war, gingen wir wöchentlich ins »Tröpferlbad«, ein privates, öffentliches Duschenbad. Manchmal nahm mich mein Onkel auch in ein Dampfbad mit.

Mein Vater war sehr streng. Die Zeiten waren schwer, und er war nervlich nicht stark genug, um den Alltag zu bestehen.

Die Wohnung meiner Eltern lag im ersten Stock, das heißt über dem Parterre und dem Mezzanin (eine Wiener Spezialität, die angeblich aus der Umgehung einer alten Bauvorschrift stammt: Da die Behörden im 18. Jahrhundert nur vierstöckige Häuser im Stadtbereich zuließen, heißt es, erfanden die Bauherren, die von der Vermietung lebten, den »Halbstock« unter dem ersten Stock, wodurch die Häuser den Plänen nach zwar vierstöckig, in Wirklichkeit aber fünfstöckig waren). Die Gasse, in der fast nur Juden wohnten, gehörte dem Baron Schoeller, einem reichen Bankier. Die Gegend würde heute als »lower middleclass« bezeichnet. Wir benutzten die Gasse als Spielplatz, denn es gab so gut wie keinen Verkehr. Vor allem spielten wir Fußball, den Spitzendoppler, bei dem »zwei gegen zwei« antraten.

Vor dem Jahr 1934 nahm mich mein Vater jeden Sonntag zum Fußballmatch des jüdischen Klubs »Hakoah« (Kraft) mit. Ich kann mich noch an einige Spieler erinnern, den Katz, den Löwi, den Scheuer, den Mausner und den Dornenfeld. Im Tor stand der gewandte Oppenheimer. Natürlich gab es antisemitische Ausrufe aus dem Publikum, besonders wenn Hakoah gegen den Wiener Sportklub spielte. Orthodoxe Juden sind allerdings nie zu einem Fußballmatch gegangen.

Als ich noch kleiner war, spielten wir gerne »Tempelhüpfen«. Es bestand aus acht Feldern, die mit Kreide auf den geteerten oder gepflasterten Boden gezeichnet wurden oder bereits in ihm eingeritzt waren. Die beiden obersten Felder hießen »Himmel« und »Hölle«. Der erste Spieler warf einen kleinen Stein auf Feld eins und übersprang es auf einem Bein. Vom zweiten Feld aus durchhüpfte er alle übrigen. Natürlich war die »Hölle« zu überspringen, während man im Himmel auf beiden Beinen stehen durfte. Hatte man alle Felder durchhüpft, warf man den Stein auf Feld zwei und sprang vom Start auf Feld drei, beim nächsten Mal warf man den Stein auf Feld drei und versuchte auf Feld vier zu hüpfen, und so weiter. Machte man einen Fehler, kam der nächste an die Reihe. Das Spielfeld sah so aus:

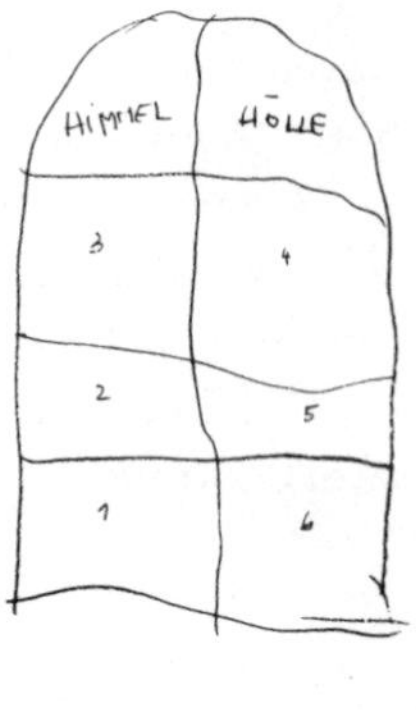

Auch alle alten Kreisspiele spielten wir: »Laß den Räuber durchmarschieren, durch die goldene Brücke. Wo kommt er her, vom Schwarzen Meer. Warum seid ihr so schwarz?« – »Ist die schwarze Köchin da?« – »Häslein in der Grube«. Beim Spiel »Ist die schwarze Köchin da?«, gingen wir singend im Kreis. Ein Kind lief in entgegengesetzter Richtung außerhalb des Kreises herum. Bei: »Komm mit!« berührte es ein im Kreis gehendes anderes Kind, das ihm folgen mußte. Das Spiel dauerte so lange, bis nur noch ein Kind übrig blieb. Die anderen umtanzten es und sangen:

»Ist die schwarze Köchin da?
Nein, nein, nein!
Dreimal muß ich rummarschieren,
s'vierte Mal den Kopf verlieren,
s'fünfte Mal komm mit!
Ist die schwarze Köchin da?
Ja, ja, ja!
Da steht sie ja, da steht sie ja!
Pfui, pfui, pfui.«

Ich kenne noch die meisten Reime auswendig: »Häslein in der Grube saß und schlief. Armes Häslein bist du krank, daß du nicht mehr hüpfen kannst, Häslein hüpf, Häslein hüpf, Häslein hüpf«.

Ein Kind war das Häslein, die anderen gingen um es herum und sangen. Bei den Worten »Häslein hüpf« hüpfte das Kind in der Hocke auf ein anderes zu, das es dann als krankes Häslein ablöste. Beim »Räuber und Gendarm«-Spielen war abwechselnd eine jüdische Gruppe Räuber und die anderen Gendarmen oder umgekehrt. Die Räuber wurden weggeschickt und erhielten einen Vorsprung, um sich zu verstecken. Erst dann durften die Gendarmen die Räuber suchen und fangen. Das Fangen geschah durch drei Schläge auf den Rücken, häufig ging es dabei, wenn wir die Räuber waren und verhaftet wurden, grob zu.

Wir fuhren auch Triton, also Holzroller, spielten Jojo oder wie meine Schwester Diabolo. Das Diabolo bestand aus einer Spule und zwei Stecken, die an Schnüren befestigt waren. Man warf die Spule in die Luft und fing sie mit der Schnur wieder auf. Meine Schwester war sehr geschickt. Sie spielte gerne mit ihrer Puppe, und ich hatte einen »Wurstl« (Kasperl), den ich ins Bett mitnahm.

Am liebsten aber spielte ich mit anderen Fußball. Der Ball fiel oft in den naheliegenden Donaukanal, und wir mußten ihn wieder aus dem Wasser holen. Der Kai-Park befand sich auf der Stadtseite zwischen der Hollandbrücke und der Augartenbrücke, am heutigen Franz Josefs-Kai. Für uns war er damals »die Welt«. Unten am Kai befand sich der Fischmarkt. Wenn der Ball den Hang zum Wasser hinunterflog, liefen uns die Polizisten nach, die »Schmier«; das Wort kommt aus dem Hebräischen: »Schmira« – die Wache. Zur Polizei sagen heute auch die Christen in Wien: »Die Schmier« – ... Es war verboten, im Park Fußball zu spielen, aber wir haben trotzdem von früh bis abends gespielt. Im Sommer gingen wir zwischen der Schwedenbrücke und der Uraniabrücke im Kanal baden. Man nannte dieses Stück das »Strombad«. Das Wasser war sauber, aber eiskalt. Am Ufer standen die Fischgroßhändler. Ihre Fische waren in Kisten gefangen, die man im Wasser verankert hatte. Der Anblick der Tiere erschreckte mich, aber ich mußte immer wieder zu den Kisten gehen und die Fische anschauen. In erster Linie waren es Karpfen, aber auch Aale ... Einmal, ich besuchte schon die Volksschule, war der gesamte Donaukanal zugefroren. Nach einem Eisstoß türmten sich die Platten übereinander, und es war uns verboten, auf ihnen herumzuklettern.

Im Winter boten Maronibrater ihre Ware an. Sie standen mit großen Fäustlingen und ihren Eisenöfchen im Freien und brieten Erdäpfel und Edelkastanien, die sie in Stanitzeln aus Zeitungspapier wickelten. Im Sommer wurden sie von den Eisverkäufern abgelöst. Am Eingang des Parks verkauften außerdem Bosniaken mit ihrem großen roten Fez türkischen Honig mit Nüssen und Kokosstangerln. Gegen den Spätnachmittag kamen die Zeitungsverkäufer mit dem »Abend«. Im Park waren Stühle aufgestellt, auf denen die Mütter saßen, in erster Linie jüdische Frauen. Sie tratschten dort miteinander, und die Sesselfrau hob unterdessen Gebühren für die Stühle ein. In den Augartenpark ging ich nicht so gerne. Er ist mir zu düster, ich nenne ihn einen Selbstmörderpark.

Die meisten Familien kauften auf dem Karmelitermarkt ein, ich kann mich noch an die Händlerfamilien erinnern: Die Chachamowics, die Deak. Die Frau Deak hatte einen Stand mit Käse, Butter und Eiern. Sie wurde von den Nazis vergast. Die Chachamowics hatten Hühner, die sie an Ort und Stelle schlachteten, aber das habe ich nie sehen wollen. Nur bei den Fischen schaute ich zu, die zum Kauf angeboten wurden. Man zerhackte sie lebend, nachdem man ihnen die

Schuppen abgeputzt hatte – es war ekelhaft. Auch Aale gab es … Der Gemüsehändler hieß Mathias, ein gemütlicher, älterer Mann: Er bot Spinat an, Erdäpfel, Radieschen, Salat … Aber am Markt verkauften nicht nur Juden.

Hauptsächlich fuhren damals Pferdefuhrwerke, die zu Fasching mit Papierbändern geschmückt waren. Außerdem Fahrräder und später, als ich schon in die Volksschule ging, Lastwagen. Die Häuser waren in der Leopoldstadt niedriger als in anderen Bezirken, viele Gassen waren dunkel, doch gab es überall Handwerker, die ihre Ware vor den Geschäften anboten. Manche hatten ihre Werkstätten in den Höfen, die sich zwischen den Mauern öffneten; die Höfe waren typisch für die Leopoldstadt. Im Sommer arbeiteten die Schuster, Tischler und Tapezierer im Freien. Die Menschen hatten viel mehr Zeit als heute, und in einer Gasse kannten sich alle beim Namen. Schräg vis-à-vis vom Haus meiner Großmutter befand sich die Karmeliterkirche. Bei den Fronleichnamsprozessionen schaute ich immer zum Fenster hinaus. Die Prozessionen beeindruckten mich zwar sehr, aber ich hatte ein gespanntes Gefühl dabei. Man riet mir ab, auf die Straße zu gehen, daher beobachtete ich alles nur von meinem Fensterplatz aus. Ich sah den prächtigen Baldachin, die Monstranz, die vom Priester im Talar getragen wurde, Nonnen folgten ihnen, und Kinder streuten Blumen. Ich hatte Angst, als ich das sah. Die Leopoldstadt war ja ein jüdisches Viertel, und wir spürten, daß es ANDERE waren, nicht gerade feindliche, aber auch nicht die unseren.

Meine Großmutter Dorothea war eine schöne Frau

mit weißen Haaren und einem slawischen Gesicht. Sie erzählte mir zumeist von ihrem Leben in Bosnien. An allen hohen Feiertagen ging sie in die Synagoge, und am Freitag abend segnete sie die Kerzen. Eigentlich zog mich meine Großmutter auf. Sie war mir näher als meine Eltern. Zu Hause habe ich gehört, wie meine Mutter in der Nacht stöhnte, und ich hatte den Eindruck, sie würde gequält, dabei war es nur eine stürmische Umarmung. Bei meiner Großmutter war Ruhe und Geborgenheit.

Hinter dem Haus, in dem sie wohnte, gab es einen kleinen Garten für die Bewohner. Ich spielte dort mit Schnecken und ließ sie gegeneinander wettkriechen. Alles war sehr friedlich. Meine Großmutter war, wie gesagt, geschieden, sie lebte mit ihrer Schwester und meinem Onkel Elias Diener, der ein Papiergeschäft in der Lilienbrunngasse hatte, zusammen und führte ihnen den Haushalt. Auf dem Eislaufplatz hinter der Sperlgasse lief ich im Winter Schlittschuh, mit »Schraubendampfern«, das waren Kufen, die man mit Schrauben an den eigenen Schuhen befestigen konnte. Mein Vater war übrigens ein traditioneller Jude, kein orthodoxer, das heißt, er bekannte sich zum Judentum, übte es aber nicht streng aus. Ich wurde auch nicht religiös erzogen. Lange Zeit habe ich mich nicht als Jude, sondern als Österreicher gefühlt, obwohl ich tschechoslowakischer Staatsbürger war.

In der Lilienbrunngasse, wo mein Onkel das Papiergeschäft hatte, gab es in den Höfen vier »Schulen«, wie man die Betstuben nennt. Sie bestanden oft nur aus einem Zimmer, aber die Zimmer waren »crowded full« – gestopft voll. Den ganzen Tag über wurde gebetet, in einem unrhythmischen Singsang, der nicht so melodiös klang wie in der Synagoge, sondern ein Durcheinander von Stimmen war. Überall in der Leopoldstadt gab es diese Betstuben. Außerdem wurden an den hohen Feiertagen Räume für Feierlichkeiten gemietet, wie das Taborkino neben dem Hotel Stefani. Vor der Schiffschul, der Betstube in der Schiffgasse, sah ich einmal das Begräbnis eines chassidischen Rabbiners. (»Chassid« heißt »der Fromme«. Der Chassidismus ist eine volkstümliche, religiös-mystische Bewegung des Judentums, die in der Ukraine entstanden ist und ein Rabbiner – was so viel heißt wie »mein Lehrer« – ist ein Gelehrter. Er hat vor allem die THORA, die fünf Bücher Moses und den Talmud, den Kommentar zur Bibel studiert.) Mehr als tausend Orthodoxe, also strenggläubige Juden, standen auf der Straße ... Die Schüler des Rabbiners reisten sogar aus anderen Ländern, mitunter sehr weit, zum Begräbnis an ... Sie berührten weinend den Sarg und bildeten eine riesige, ungeordnete Begräbnisprozession ... Das Geschrei und das Weinen werde ich nie vergessen. Fast alle Begräbnisteilnehmer sprachen jiddisch. Gegen das Jiddische hatte ich damals und habe ich noch heute eine Abneigung ... Wir durften zum Beispiel zu Hause nicht jiddisch sprechen ... Das sei, so sagte mein Vater, nur ein Jargon, keine vollständige Sprache.

Zweiter Bericht

Über das Judentum

Die Christen haben vom Judentum gewöhnlich falsche oder gar keine Vorstellungen. Im Judentum ringen ein religiöser und ein rationalistischer Zug um die Vorherrschaft, lösen einander ab und verschmelzen wieder miteinander. Der oberste Grundsatz ist der, den EINZIG EINEN und seine Forderungen an das sittliche Tun anzuerkennen. Die Glaubensgesetze, die jeder Jude einhalten soll, sind in der Heiligen Schrift, der Thora (Lehre) enthalten, den fünf Büchern Moses. Die Ausführungsbestimmungen dieser Gesetze sind in zwei Sammlungen festgelegt, der Mischna, zu deutsch »Wiederholung«, die um 200 nach Christus abgeschlossen war, und der Gemara (das »Erlernte«), etwa 500 nach Christus. Mischna und Gemara zusammen bilden den »Talmud«, was soviel wie »Studium«, »Belehrung« heißt. Das jüdische Familienleben ist sehr stark von der Religion bestimmt. Der höchste Feiertag und Höhepunkt jeder Woche – wie der Sonntag für die Christen – ist der Sabbat, der freitags mit Sonnenuntergang beginnt und Samstag mit Sternenaufgang endet. Es ist der Tag der Ruhe, zur Erinnerung an die Weltschöpfung. Im März oder April – je nachdem, wie der Kalender es bestimmt – wird das Pessachfest gefeiert, das an die Befreiung der Israeliten aus ägyptischer Fron erinnert, 49 Tage später Schavout, an dem des Empfangs der zehn Gebote durch Moses gedacht wird. Im September und Oktober folgen das Neujahrsfest Rosch Haschanah, Yom Kippur, der Tag der Versöhnung und Sukkoth, das Laubhüttenfest, zur Erinnerung des Aufenthaltes der Kinder Israels in der Wüste. Schließlich Chanukka, das Lichtweihfest im Dezember, das dem Gedenken an die Wiederentzündung des Tempellichts gilt und Purim, das Losfest im Februar oder März anläßlich der Errettung vor persischer Verfolgung. Das jüdische Leben hat strenge Regeln.

Die Beschneidung eines Knaben erfolgt am achten Tag nach seiner Geburt und ist mit der Namensgebung verbunden. Sie ist das Zeichen des Bündnisses eines Juden mit Gott. Die Bar Mizwa, die »Konfirmation« der Knaben, wird mit Vollendung des dreizehnten Lebensjahres vollzogen (die Knaben werden damit zu »Gebotspflichtigen«). Ab diesem Zeitpunkt werden zum Morgengebet der Tallit, der Gebetsmantel (in dem man auch begraben wird), ein viereckiges Tuch aus Wolle oder Seide mit Quasten an den vier Ecken und die Tefillin, die Gebetsriemen angelegt, und zwar am linken Arm, dem Herzen gegenüber und an der Stirn. Hand und Arm sind die Werkzeuge der Tat, die Stirne steht für die Gedankenwelt. Auf den schwarzen Lederriemen sind kleine Kästchen befestigt, in denen sich vier Denkzettel aus Pergament befinden, die mit vier Abschnitten aus der Thora beschrieben sind. (Denn das Äußere soll in der jüdischen Lehre das Innere beeinflussen.) Die Frauen der orthodoxen osteuropäischen Juden verhüllen ihr Haar, manche mit Perücken (Scheitel) und Tüchern, vereinzelt gibt es auch solche, die darunter den Kopf kahlgeschoren haben. Die Weisen des Mittelalters stellten fest, daß die eigenen Haare der Frau einen unerlaubten Reiz auf fremde Männer ausübten. Von meinen Verwandten verwendete niemand einen Scheitel, und auch das Morgengebet hielten wir oft nicht ein.

Der Sabbat war immer schön, da kehrte Ruhe ein. Jeder Jude erhält dem Glauben nach an diesem Tag eine Zusatzseele, die ihn am Abend des nächsten Tages wieder verläßt. Am Sabbat ist es streng verboten zu arbeiten. Die Vorschriften sind äußerst kompliziert, sogar das Rauchen ist verboten, weil das Anzünden einer Zigarette Feuer machen ist und damit als Arbeit gilt. Auch darf man bei einem Spaziergang nicht über 2000 Ellen aus der Stadt fortgehen, also nicht wandern. Der Talmud führt »vierzig weniger eine Hauptverrichtungen« an, die am Sabbat verboten sind, zum Beispiel zwei Buchstaben schreiben oder radieren, um zwei Buchstaben zu schreiben. Alle Vorschriften sind Ableitungen aus den fünf Büchern Moses, auch die zum Genuß erlaubten Speisen, die koscher genannt werden. Das beginnt mit der Trennung der fleischigen und milchigen Gerichte, die nicht zugleich bei einer Mahlzeit gegessen werden dürfen, denn in den Büchern Exodus und Deuteronomium heißt es: »Du sollst nicht kochen das Böcklein in der Milch seiner Mutter«. Die jüdische Küche enthält »fleischige« und »milchige« Töpfe, Teller und Bestecke und für Speisen neutralen Charakters, wie Fische und Eier, neutrale Gebrauchsgegenstände. Generell verboten ist der Genuß von Blut. In der Bibel heißt es, daß »die Seele des Leibes Leben« im Blut ist. Aus diesem Grund wird das Fleisch durch Salzen und Einweichen vorher koscher gemacht, also das Blut vollständig entfernt. Überhaupt verboten ist der Genuß des Fleisches von Schweinen, Hasen, Kaninchen und Raubvögeln, worunter man auch den Storch und die Schwalbe, den Schwan und den Kuckuck zählt. Außerdem der Genuß von Krabben, Krebsen, Reptilien, Austern und Insekten, vor allem aber darf man kein Aas essen. Die Juden schächten die Tiere, was ihnen manche Kritik eingetragen hat. Beim Schächten wird durch den Schächter, den Schochet, mit einem Querschnitt die Speise- und Luftröhre durchschnitten. Das führt zur sofortigen Blutleere im Gehirn und das Tier ist betäubt. Eine andere Art der Betäubung ist nicht zulässig. Ein Fehler beim Schächten, wenn das Tier also nicht sofort betäubt ist, hat zur Folge, daß es nicht weiter verarbeitet werden darf. Die Juden stehen den Tieren nicht feindlich gegenüber, das ist ein ebenso alter wie falscher Vorwurf. Es gibt keine Tierhetzen, weder Hahnenkämpfe noch Stierkämpfe. Treib- und Hetzjagden sind verpönt. Mir ist auch von keinem unserer Großen bekannt, daß er auf die Jagd ging – das Fleisch eines erlegten Tieres wäre ohnedies nicht koscher.

Der gläubige Jude fragt nicht nach den Gründen eines Verbots und der vielen Gebote. Er nimmt das »Joch des Gesetzes« als Gottes Wille gern auf sich. Ich will hier auf das Judentum nur eingehen, soweit es zum Verständnis meiner Lebensgeschichte notwendig ist. Es ist eine Welt für sich, eine vielfältige und für einen Außenstehenden schwierig zu erfassende, die man ein ganzes Leben studieren könnte, ohne an ein Ende zu kommen. An alles was ich angeführt habe, knüpfen sich bei mir persönliche Erinnerungen. Am zweiten Tag des Rosch Haschanah, des Neujahrsfestes, war der Donaukanal schwarz von den orthodoxen Juden, die für gewöhnlich einen Kaftan tragen, einen Hut, lange Bärte und die Peyot, die Schläfenlocken. Die Gläubigen beteten laut und wiegten sich dabei hin und her, eine Bewegung, die zum Beten gehört, wie bei den Christen das Falten der Hände. Dabei warfen sie Brotkrümel, die sie mitgebracht hatten, in das Wasser. Die Krümel symbolisieren die Sünde, die ein gläubiger Jude im Laufe des Jahres begangen hat. Oben am Kai und auf den Brücken standen die Christen und schauten interessiert oder angewidert zu... Manche schimpften, man weiß, die Wiener schimpfen gerne. Anfang der dreißiger Jahre erschienen zum »Taschlich«, so heißt dieses Ritual, und das Wort bedeutet: »du sollst werfen«, Anfang 1930 also erschienen an diesem Tag Gruppen von Nazis, um den Vorgang zu stören. Die orthodoxen Juden waren es nicht gewohnt, sich zu verteidigen. Sie ließen sich herumstoßen und ins Wasser werfen und selbstverständlich auch beschimpfen, zumeist mit »Saujud«. Bald darauf erschien die Polizei, nahm auf den Stiegen Platz und wachte darüber, daß die Nazis nicht zum Kanal herunterkamen. Das sah gefährlich aus. Auch Steine wurden geworfen. Im nächsten Jahr bildeten die jüdischen Jugendverbände eine Selbstschutzgruppe und verhinderten, daß Antisemiten die Betenden bedrängten.

In Wien gab es in erster Linie Aschkenasim, was so

viel heißt wie »Deutsche«. Damit sind aber die Juden ganz Europas und aus dem Osten bis auf jene des Mittelmeerraumes gemeint. Sie sprechen jiddisch. Die Sephardim (Spanier), also die Juden aus dem Mittelmeerraum, haben andere Rituale, ihre Umgangssprache ist das Ladino. Aschkenasim und Sephardim heiraten üblicherweise nicht untereinander.

Besonders gerne erinnere ich mich an Pessach, das jüdische Osterfest. Pessach (Vorüberschreiten, Verschonung) dauert acht Tage und wird so genannt, weil bei der Tötung der ägyptischen Erstgeborenen, wie es in der Bibel vor dem Auszug der Juden beschrieben ist, der Todesengel an den Häusern der Israeliten vorüberschritt und sie verschonte. Die beiden Abende des Festes, die Sederabende (Seder = Ordnung, wonach die Zeremonie sich vollzieht), verlaufen gleich. Es wird die »Haggadah«, die »Erzählung« vorgelesen, darunter versteht man die Beschreibung des angeführten Auszuges der Israeliten aus Ägypten. Die Haggadah ist bebildert, übrigens als einziges religiöses Buch und enthält auch volkstümliche Lieder, die gemeinsam gesungen werden. Das letzte Sederlied kennt jeder Jude, das Lied vom »Zicklein, das gekauft mein Vater für zwei Sus«: »Kam das Kätzlein, fraß das Zicklein, das gekauft mein Vater für zwei Sus; das Zicklein, das Zicklein. Kam das Hündlein, biß das Kätzlein, das fraß das Zicklein, das gekauft mein Vater für zwei Sus ...«

Zuletzt kommt Gott selbst und tötet den Tod, der getötet den Schlächter, der geschlachtet das Öchslein, das getrunken das Wässerlein, das verlöscht das Feuerlein, das verbrannt das Stöcklein, das geschlagen das

Hündlein, das gebissen das Kätzlein, das gefressen das Zicklein, das gekauft mein Vater für zwei Sus, das Zicklein, das Zicklein.

Das Zimmer ist hell erleuchtet und man ißt Petersilie und eine in Salzwasser getauchte Kartoffel, symbolisch für die Früchte der Erde und die Tränen, die die Israeliten in ägyptischer Gefangenschaft vergossen haben, eine Mischung aus Apfel-, Feigenstückchen und Nüssen, mit Essig zusammengeknetet und etwas Zimt gewürzt, von der Farbe des Lehms, den »unsere Vorfahren in Fronarbeit zu Ziegeln bearbeiten mußten«, ein gesottenes Ei, zum Zeichen der Wandelbarkeit und Gebrechlichkeit menschlicher Geschicke und einen gerösteten Knochen mit etwas Fleisch daran, zum Zeichen des Pessachlammes, das die Israeliten beim Auszug aus Ägypten schlachteten und verzehrten. Man ißt acht Tage lang neben den anderen Speisen nur ungesäuertes Brot, das Mazzes heißt, weil der Ausbruch aus Ägypten in solcher Hast erfolgte, daß man das Brot nur ungesäuert backen konnte. Und schließlich wird ein großer Becher mit Wein gefüllt, ein Kind geht zur Tür, öffnet sie und läßt symbolisch den Propheten Elias herein. Der Becher mit Wein bleibt das ganze Fest über für den Propheten auf dem Tisch stehen. An diesem Abend trinkt jeder Gast – auch die Kinder – zumindest vier Becher mit Rosinenwein, der übrigens niemandem schadet. Zum Sederabend lädt man auch Menschen ein, die alleine sind. Es ist ein sehr schönes Fest, und ich empfand immer eine heimliche Freude, daß der Prophet Elias unter uns weilte. Auch der Yom Kippur-Tag (Tag der Sühne) ist mir gut in Erinnerung. Man versucht an diesem Tag, mit sich und der Welt ins reine zu kommen, fast so, als ob man sterben müßte. Jeder, der das dreizehnte Lebensjahr erreicht hat, fastet vom Abend, an dem man noch ißt, bis zur Dunkelheit des nächsten Tages, das heißt, bis man einen schwarzen von einem weißen Zwirn nicht mehr unterscheiden kann oder der erste Stern zu sehen ist. In der Zwischenzeit muß man versuchen, sich zu versöhnen und die Menschen, denen man Unrecht getan hat, um Verzeihung bitten. Niemand darf eine Entschuldigung ablehnen. Die Sünden, die man gegen Gott begangen hat, werden einem vergeben, nicht aber jene gegen Mitmenschen. Yom Kippur ist ein wichtiger Tag, man glaubt, daß eine unvollständige Reue oder ein halbherziges Fasten sich in Krankheit oder Schwierigkeiten im Beruf oder in der Liebe niederschlagen kann. Der Schofar, ein Widderhorn, wird geblasen und mahnt zur Besinnung und Umkehr.

Ich habe mich schon immer auf Sukkoth gefreut, das fünf Tage später stattfindet. Sukkoth ist das Laubhüttenfest und gilt dem Andenken an die zeltartigen Hütten, in denen die Israeliten auf ihrer Wüstenwanderung lebten. Es ist zugleich eine Art Erntedankfest. Die Hütten werden im Garten errichtet, aber auch auf dem Balkon. Sie bestehen aus Brettern und einem Dach aus Laub, durch das man die Sterne sehen soll. Das Zeichen dieses Tages ist ein Feststrauß aus einem Lulew (Palmzweig), Hadassin (Myrten) und Bachweidenzweigen. Dazu kommt der Etrog, eine zitrusartige Frucht. Bei kleineren Kindern ist das Chanukka-Fest, das Lichtfest besonders beliebt. Chanukka heißt Einweihung. Als der Grieche Antiochus Epiphanes Palästina eroberte, schändete er das Heiligtum in Jerusalem. Die Makkabäer, die es zurückeroberten, errichteten den Altar neu, auf dem ein kleines Krüglein mit Öl acht Tage brannte. Zum Andenken an die überlieferte Begebenheit wird der Chanukka-Leuchter entzündet. Chanukka wird schon in der Schule gefeiert. An jedem der acht Tage wird eine Kerze zusätzlich auf dem Leuchter angezündet. Die Kinder bekommen kleine Geschenke. Zu Hause spielen sie mit dem Trendel, einem kleinen Kreisel aus Holz. An jeder der sechs Seiten des Würfels ist ein hebräischer Buchstabe eingeritzt. Je nachdem, auf welche Seite der Würfel fällt, muß man Geld in eine Kassa werfen oder darf sich eines herausnehmen.

Purim ist das Freudenfest anläßlich der Errettung der Juden in Persien vor Haman, der einen Anschlag gegen sie vorbereitete. Es gibt im Talmud nur einmal ein Gebot zu dionysischem Tun: Am Purimfest soll der Gläubige so berauscht sein, daß er den Unterschied zwischen »gesegnet sei Mordechai«, der den Sieg über Haman davontrug und »verflucht sei Haman« nicht mehr kennt. »An Purim ist alles frei« und »Purim wird alle Feste überdauern«, heißt es. Purim verwischt die Unterschiede von Rang und Alter. Es gestattet sogar die Vertauschung männlicher und weiblicher Kleidung. In vielem ähnelt das Fest dem Karneval. Bestimmte Speisen werden an diesem Tag angeboten: die langen, mit Anis durchtränkten »Hamansohren« aus Nudelteig oder »Kreplech« (Krapfen) für die Suppe. Die »Hamantaschen« sind dreieckige Mohnkuchen, die mit Pflaumen gefüllt werden.

Die bekanntesten Zeichen für das Judentum sind

der Davidstern und die Menora, der siebenarmige Leuchter im Heiligtum. Mit dem gelben Davidstern aus Stoff haben die Nazis die Juden gekennzeichnet. Er ist ein sechseckiger Stern, ein Hexagramm, das durch zwei ineinandergeschobene gleichseitige Dreiecke gebildet wird. Die Menora findet man in fast jedem jüdischen Haushalt. Aber das wahre Judentum ist in der Schrift festgehalten und wird im Glauben gelebt. Als die Römer den Tempel in Jerusalem 70 nach Christus zerstörten, wurden die Juden in alle Winde zerstreut. Von da ab lebten sie in der »Diaspora«, der »Verbannung«. Sie bildeten überall, wohin es sie verschlug, Gemeinden, mit, wenn sie groß genug waren, einem Rabbiner. Das geistige Zentrum dieser Gemeinde war der Glaube, die Thora und der Talmud. War die Gemeinde nur groß genug, errichtete sie eine Synagoge, die auch »Schul« oder »Tempel« genannt wurde. Die Synagogen werden nach Osten hin gebaut, in Richtung Jerusalem; um einen Gottesdienst abzuhalten, müssen mindestens zehn männliche Beter anwesend sein, die Minjan (Zahl). Im Cheder (Stube), der traditionellen ostjüdischen Elementarschule, werden die Knaben schon vom vierten oder fünften Lebensjahr an bis zur Bar Mizwa, der »Konfirmation«, unterrichtet. Oft genug unmethodisch und durch private, ungeprüfte Lehrer. Die Sprache, auf der das Judentum fußt, ist das Hebräische, das schon die Kinder in der Talmud-Thora-Schule lernen. Aus all dem ergibt sich, daß die Juden ihre Kultur und Religion mit sich tragen. Das bedingt eine gewisse Absonderung von den Kulturen anderer Völker, mit denen sie leben, gleichzeitig werden sie von den anderen Völkern selbst abgesondert, oft genug ghettoisiert. Es gibt jedoch kein einheitliches Judentum, genausowenig wie es ein einheitliches Christentum gibt.

Die Juden haben eine eigene Zeitrechnung, der Mond, nicht die Sonne bestimmt den Kalender. Im Jahr 1990 schreibt die jüdische Zeitrechnung das Jahr 5750 (und meint damit das 5750. Jahr seit der Schöpfung). Die Geschichte der jüdischen Religion ist zugleich die Geschichte der Juden. Juden beten Geschichte, sagt man.

Schulzeit

Ich ging in der Kleinen Sperlgasse in die Volksschule. Meine Mutter war dort ebenso Schülerin wie später meine Kinder. Ein jüdischer Religionslehrer unterrichtete uns jede Woche zweimal eine Stunde Glaubenslehre (und später im Gymnasium ein Religionsprofessor). An den Nachmittagen besuchte ich zusätzlich ein oder zwei Stunden die Talmud-Thora-Schule im polnischen Tempel. Der polnische Tempel war im russischen Stil erbaut und hatte ein Zwiebeldach. Wir lasen dort die Thora. Auf der rechten Buchseite stand der Text in hebräischer Schrift, auf der linken in deutscher. Man mußte mit der linken Hand den deutschen Text verdecken, hierauf wurde er auf hebräisch gelesen und ins Deutsche übersetzt. Unser Lehrer Rosenfeld ging mit dem »Rollstaberl« durch die Klasse: wenn jemand die linke Hand hob, um den deutschen Text nachzulesen, klopfte er ihm auf die Finger oder zog ihn am Ohr. Wir waren ungefähr zwanzig Kinder.

Die reicheren Eltern der Schüler bezahlten etwas für den Unterricht, die ärmeren Schüler hingegen erhielten ihn kostenlos oder wurden sogar finanziell unterstützt. Das Klassenzimmer war immer »gesteckt« voll. (Selbstverständlich waren wir nur Buben.) Besonders schön war es im Winter, da knackte der Ofen und die Atmosphäre war sehr angenehm.

Mit meinem Großvater ging ich öfters in den türkischen Tempel, in die Zirkusgasse – an seinem Platz wird jetzt gerade ein anderes Haus errichtet. Der Betraum war mit orientalischen Ornamenten reich verziert, und es herrschte im Gegensatz zu anderen Synagogen Stille. Das beeindruckte mich sehr.

Je älter ich wurde, desto häufiger ging ich in den Wurstel-Prater. Damals gab es noch den berühmten Schausteller Calafati. Vor den Buden wurden kleine Szenen gespielt, um die Leute hineinzulocken. Zauberer traten auf... Entfesselungskünstler. Ich habe nie eines der Zelte betreten... Gerne hörte ich die schöne Musik, die vor der Grottenbahn gespielt wurde. An diesem Platz fühlte ich mich zum ersten Mal zu einem Mädchen hingezogen. Ich getraute mich zwar nicht, es anzusprechen, folgte ihm aber, als es nach Hause ging. In Erdberg verlor ich es aus den Augen. Ich war damals dreizehn Jahre alt.

Zumeist hielt ich mich in der Leopoldstadt auf, nur selten in einem anderen Bezirk. Damals wurden die Arbeitslosigkeit und die Armut immer größer. An der Marienbrücke über dem Donaukanal lehnte viele Jahre ein geigenspielender, jüdischer Bettler, dem wir Almosen gaben. Die meisten Juden in der Leopoldstadt waren alles andere als wohlhabend. Der »reiche

Jude« ist eine Legende ... Natürlich gab es ihn auch, er war aber nicht die Regel. Mein Onkel, der in der Lilienbrunngasse das Papiergeschäft hatte, stapelte jeden Freitag, wie die meisten kleinen jüdischen Händler, neben der Kassa einen »Groschenturm« auf. Die Bettler kamen dann vorbei und nahmen sich wortlos zwei Münzen herunter. Sie gingen von Geschäft zu Geschäft. Das war schon so sehr »Brauch« geworden, daß sie sich nicht einmal mehr bedankten. Mein Onkel bevorzugte allerdings Bettler, die er persönlich kannte. (Zumeist Juden oder Sozialdemokraten.) Für sie lagen zehn Groschen bereit. Die Tür stand am Freitag nie still. In den Höfen spielten Arbeitslose auf: mit der Violine, einer Gitarre oder einer Ziehharmonika, oft sangen sie dazu. Die Wohnparteien öffneten die Fenster und warfen in Papier eingewickeltes Geld hinunter. Schon vor der »Dollfußzeit« (der Zeit des Ständestaates in Österreich von 1934 bis 1938), in der nach dem Bürgerkrieg die Demokratie abgeschafft worden war und die »Vaterländische Front« (die aus den Christlichsozialen hervorging) allein den Staat beherrschte – Sozialdemokraten, Kommunisten und Nationalsozialisten waren verboten – zogen SA-Truppen durch die Prater-Haupt-Allee und verprügelten die Juden, die ihnen über den Weg liefen. Ich ging aus Neugierde hinter ihnen her oder marschierte sogar auf der Seite mit. Niemand belästigte mich, denn ich trug kurze Lederhosen und einen Trachtenjanker, wie alle Wiener Kinder. Die Kinder orthodoxer Juden, die wie ihre Eltern gekleidet waren, liefen davon. Die SA drang in die Kaffeehäuser und Gärten ein und warf alle, die ihr nicht paßten, auf die Straße. Ich dachte mir schon damals, als Vierzehnjähriger, daß wir nicht mehr lange würden in der Leopoldstadt bleiben können, wenn es so weiterging. Häufig marschierte die SA durch die Gredlergasse zur Taborstraße. Das Ziel war der »Bayrische Hof«, das Versammlungslokal der Wiener Nazis. Natürlich hatten sie sich bewußt ein Lokal in der Leopoldstadt gewählt, um die jüdischen Bewohner zu provozieren. Jetzt ist anstelle des »Bayrischen Hofes« ein Kettenladen dort untergebracht; nach dem Krieg, als das Lokal noch bestand, war ich einmal im großen Saal, als der ehemalige sozialdemokratische Innenminister Olah eine Versammlung abhielt.

Wenn die SA durch die Leopoldstadt marschierte, schauten wir aus dem Fenster in die Schöllerhofgasse. Ich hörte Schläge und Schreie von der Blindengasse her, konnte aber nichts sehen, weil es schon dunkel war. Die Nazis kamen immer in der Dämmerung.

Die SA sang laut oder schrie zumeist im Chor: »Deutschland erwache, Juda verrecke!« Ich sah, wie sie beim Greisler in der Gredlerstraße die Auslagenscheiben einschlug. Jugendliche Nazis bevorzugten das Wochenende oder die Nacht, und natürlich kamen sie immer in Gruppen. Gleichsam als Freizeitbeschäftigung übten sie Terror aus, das war für sie »eine Hetz«, wie man auf gut wienerisch sagt, eine lustige Abwechslung. Zumeist sangen sie: »Wenn das Judenblut vom Messer spritzt, dann geht es noch einmal so gut.« Ich beobachtete das, wie gesagt, vom Fenster aus – auch am Nachmittag. Die Schlägereien fanden aber erst bei Einbruch der Dunkelheit statt. Als die Vaterländische Front 1934 an die Macht kam, hörten die

Vorfälle auf. 1938 aber setzten sie mit größter Wucht neuerlich ein. Spannungen gab es allerdings auch während der Zeit des »Ständestaates«. In der Schule war allgemein bekannt, welcher Lehrer ein illegaler Nazi war. In der Volksschule, wir waren fast nur jüdische Schüler, hatten wir einen gutmütigen, nichtjüdischen Lehrer namens Hugo Hahn, der aus dem Waldviertel stammte. Als später – in der Nazizeit – die Juden vor ihrer Deportation in die Volksschule gesperrt wurden, protestierte er gegen die Unmenschlichkeit, daß sie in den Räumen zusammengepfercht, ohne Nahrung und Wasser stehen mußten. Zur Strafe zog man ihn zum Militär ein, aber er überlebte. Nach dem Krieg habe ich ihn zusammen mit meiner Mutter besucht. Er war sehr gerührt und weinte, weil er geglaubt hatte, ich sei wie die meisten anderen ums Leben gekommen.

In der Untermittelschule, in der Kleinen Sperlgasse, waren mehr als drei Viertel der Schüler Juden, die Lehrer zum Teil jüdisch, zum Teil christlich. Die Turnlehrer waren in der Regel Nazis. Einer von ihnen trug einen grünen Hut und Knickerbocker. Er war unfreundlich und ekelhaft. Ich habe die Turnstunden in sehr unangenehmer Erinnerung. Die Lehrer, die illegale Nazis waren, unterrichteten uns nur, weil sie froh waren, daß sie überhaupt eine Stelle hatten. Mein Naturgeschichteprofessor aber kündigte, da er nicht in einer Schule unterrichten wollte, wie er sagte, in der seine Schülerschaft fast nur aus Juden bestand. Mir tat es leid um ihn, weil ich seinen Vortrag schätzte. Die meisten jüdischen Lehrer, die uns unterrichteten, waren Sozialdemokraten. Nach der Untermittelschule ging ich mit vierzehn Jahren in die technische Mittelschule, in das Arsenal, einer ehemaligen k.u.k. Kaserne am Rande der Stadt. Dort gab es zum Unterschied von der Untermittelschule wenige jüdische Schüler und einen einzigen jüdischen Lehrer, Herrn Pollak im Fach Elektrotechnik. Die nichtjüdischen Schüler waren bis auf zwei oder drei Kinder von Nazieltern und verhielten sich auch wie kleine Nazis. Selbstverständlich waren sie antisemitisch. Die wenigen Ausnahmen waren Kinder von Sozialdemokraten. Im Arsenal gingen viele Kinder aus der Provinz zur Schule, speziell aus dem Waldviertel. Sie sekierten die jüdischen Mitschüler besonders gerne. Entweder machten sie das Sprechen der Orthodoxen nach und verspotteten ihr Gehabe, oder sie rempelten sie beiläufig. In der Pause standen die jüdischen Schüler aus Not immer zusammen in einer Ecke. Zwar wurde niemand offen verprügelt, aber man gab uns zu verstehen, daß wir nicht beliebt waren. Den Orthodoxen machte das weniger aus, da sie durch ihre Religion eine andere Einstellung hatten, aber ich litt sehr darunter. Ich fühlte mich ja als Österreicher. Unsere Klasse bestand übrigens aus dreißig Schülern. Insgesamt waren fünf davon orthodoxe Juden. Sie durften am Samstag, am Sabbat, nichts tragen, auch keine Schultasche. Außerdem war es ihnen von ihrer Religion her nicht erlaubt, an diesem Tag im Unterricht mitzuschreiben. – Neben mir gab es noch drei »assimilierte« jüdische Schüler, also solche, die nicht streng oder überhaupt nicht religiös erzogen worden waren. Die Orthodoxen ließen am Freitag nach dem Unterricht ihre Taschen in der Schule. Sie mußten sie am

Samstag daher nicht mitnehmen. Während des Unterrichts schrieben andere für sie mit und liehen ihnen über das Wochenende die Hefte. Ich habe nach der Schule immer zwei bis drei Taschen zur Marienbrücke getragen. Wir gingen zu Fuß, denn die Orthodoxen durften am Sabbat auch nicht Straßenbahn fahren. Nachdem wir die Marienbrücke überquert hatten, trugen sie die Taschen selbst auf der Leopoldstädterseite weiter – das war ihnen nach den Sabbatvorschriften wieder erlaubt, da die Leopoldstadt eine Insel ist. Für den Sabbat besteht ferner das Gebot, daß man nicht mehr als 2000 Ellen außerhalb besiedelten Gebietes gehen darf. Wenn wir am Wochenende einen Schulausflug machten, gingen die orthodoxen Mitschüler zwei Kilometer mit uns und setzten sich dann auf eine Bank und jausneten. Damit hatten sie einen neuen Ort erreicht, von dem aus sie wieder zwei Kilometer weiter gehen durften. Bei den anderen Schülern löste das Verwunderung und Spott aus. Ich befreundete mich bald mit den orthodoxen Mitschülern, weil man sie so verständnislos behandelte. Allerdings wurde ich deswegen nicht gläubiger, mein Glaube kam mir im Gegenteil immer mehr abhanden.

Ich war ein durchschnittlicher Schüler, stieg jedoch immer ohne Nachprüfung in die nächste Klasse auf. Damals schloß man die Schule noch nicht mit der Maturaprüfung ab, sie wurde erst unter Hitler eingeführt.

Wir hatten den späteren sozialistischen Vizekanzler Pittermann als Geschichte-, Deutsch- und Geographieprofessor. Er nahm die jüdischen Schüler stets in Schutz. Ich kann mich erinnern, daß er den steirischen Heimatdichter Peter Rosegger im Dialekt vorlas.

Man wußte von jedem Lehrer genau, wie er eingestellt war ... Es gab auch illegale Nazis unter ihnen, sogenannte tausendprozentige, sie bemühten sich nicht einmal sonderlich, es zu verbergen. Aber wenn sie es auch versucht hätten, ihre Sprache hätte sie verraten. Sie ließen uns ihre Anschauung jedoch nicht direkt spüren. Den Mathematikprofessor traf ich Ende der fünfziger Jahre wieder. Er war nach wie vor Nazi und antisemitisch. Er lud mich in das Café Ministerium am Stubenring ein. Nach dem Krieg war er nach Mödling versetzt worden, und er beklagte sich, wie schlecht er in der Demokratie behandelt werde und schimpfte über die Juden – ich weiß nicht, was er sich dabei dachte.

Es gab aber auch andere. Bei meiner Großmutter arbeitete ein verheiratetes Dienstmädchen, Emma Hobek. Sie war eine tschechische Katholikin und damals zwanzig Jahre alt. Zu Weihnachten lud sie mich zu sich nach Hause ein und zeigte mir ihren großen Christbaum. (Meine Familie verhielt sich nie feindselig gegenüber Katholiken.) Emma Hobek besorgte von 1938 an bis zur Deportation meiner Großmutter ihre Einkäufe und half ihr mit Lebensmitteln aus. Der Hausmeister meiner Eltern, Fritz Wessely, war eigentlich Straßenbahner, und seine Frau verrichtete die Arbeit, die das Haus betraf. Wessely war »Schutzbündler«. (Der Schutzbund war die bewaffnete Truppe der Sozialdemokraten.) Als die Nazis 1938 und 39 kamen, um die Juden zu holen, versperrte er die Haustüre und ließ niemanden hinein.

1934

Die große Zäsur war der 12. Februar 1934. Während des Unterrichts ging plötzlich das Licht aus. Wir hatten das Fach Maschinenbau, und unser Professor wies uns an, nach Hause zu laufen und nirgendwo stehen zu bleiben. Unterwegs bemerkte ich, daß keine Straßenbahnen mehr verkehrten. Erst als wir das Radio aufdrehten, erfuhren wir, was geschehen war. Die Arbeiter waren in Gefechte mit der Polizei und dem Militär verwickelt. Der demokratische Sozialismus war für mich eine gerechte Sache, man strebte eine Gesellschaft ohne Kapitalismus an. Die Idee beinhaltete für mich auch die Lösung der Judenfrage: Dadurch, daß alle Menschen als gleich angesehen würden, würde es auch keine Probleme zwischen Christen und Juden mehr geben, dachte ich. Ich setzte den Sozialismus mit dem Fortschritt gleich: Damals wurden Gemeindewohnungen, neue Parkanlagen, Kinderfreibäder und Volkshochschulen gebaut – das beeindruckte mich. Meine erste Reaktion auf die Radiomeldung war daher freudig. Die Sozialdemokraten waren ohnedies unterdrückt worden. Man hatte ihre Waffenlager ausgehoben und sie in den Zeitungen beschimpft. Dann aber wurden die Nachrichten immer negativer. Am nächsten Tag wurde das Licht wieder eingeschaltet, auch die Straßenbahnen fuhren wieder. Wir schlossen daraus, daß der angekündigte Generalstreik nur unvollständig befolgt wurde... Am übernächsten Tag sah ich aus dem Fenster in der Gredlerstraße, wie die Polizei Gruppen mit dreißig bis vierzig gefangenen Arbeitern durch die Straßen abführte, die die Hände hinter den Köpfen verschränkt hielten oder gefesselt waren. In unserem Bezirk in der Ausstellungsstraße hatte es Widerstandsgruppen gegeben. Wir gingen zwei oder drei Tage nicht zur Schule. Die Straßenbahnen fuhren erst am 13. Februar wieder, spätestens zu diesem Zeitpunkt wußte ich: die Sache war verloren. Ich habe mit diesem Datum aufgehört, mich als Österreicher zu fühlen. Mir war jetzt klar, daß ich Jude war, und ich begann es zu akzeptieren.

Die sozialdemokratische Partei wurde, wie übrigens auch die Kommunisten und Nazis, verboten; Dollfuß rief mit der »Vaterländischen Front« den »Ständestaat« aus. Heute nennt man die vier Jahre, die folgten, den »Austrofaschismus«. Als wir 1934 nach viertägigem Bürgerkrieg von den Hinrichtungen erfuhren – Koloman Wallisch in der Steiermark und Ing. Weissl in Wien – waren wir zutiefst niedergeschlagen. Bis zu seiner Ermordung durch die Nazis blieb Engelbert Dollfuß an der Macht, nach ihm, bis zum Einmarsch Hitlers, kam Schuschnigg. Keiner von beiden ließ allerdings die Juden verfolgen (im Gegenteil). In der Schule gab es aber unter den Professoren kaum mehr Dollfußanhänger – alle waren Nazis geworden, außer zwei oder drei, die Sozialdemokraten blieben. Die Schüler wurden angewiesen, ein Abzeichen zu tragen. Es zeigte ein rotes Dreieck mit der Aufschrift: Seid einig. Die ganze Dollfuß-Schuschnigg-Zeit über wußten wir, daß dieser Staat nicht von Bestand sein konnte. Einerseits waren wir froh, daß es ihn gab, weil die Nationalsozialisten verboten waren und die Belästigungen der Juden in der Leopoldstadt aufgehört hatten – andererseits sah man, wenn man Ausflüge in die Umgebung machte, daß die Bewegung weiterbestand: An Felswänden waren große, weiße Hakenkreuze aufgemalt.

Der Schomer Hazaïr

Meine Lehrer und Mitschüler verhielten sich zwar so wie früher, aber ich war ernüchtert. Solange es noch die Sozialdemokraten gegeben hatte, hatte ich gehofft, sie würden an die Macht kommen, jetzt sah ich für mich keine Zukunft in Österreich mehr. Der Bund sozialistischer Mittelschüler, dem ich angehörte, war aufgelöst worden, und ich ging mit sechzehn Jahren zum »Schomer Hazaïr« (der junge Wächter), einer sozialistisch-zionistischen Jugendorganisation, die ideologisch links von den Sozialdemokraten angesiedelt war. Sie war eine Elitebewegung und trat für einen binationalen jüdischen Staat mit Arabern ein, wollte den Kapitalismus abschaffen und entwickelte die Idee der Kibbuzbewegung. Tatsächlich leistete sie später als Mapampartei in Israel Pionierarbeit. Ich trat 1934 dem Schomer Hazaïr bei, der von galizischen Juden in den frühen zwanziger Jahren in Wien gegründet worden war. Die Bewegung gibt es übrigens auf der gesamten Welt. Man könnte sagen, daß sie atheistisch ausgerichtet ist. Nachdem ich 1934 aufgehört hatte, mich als Österreicher zu fühlen, faßte ich den Entschluß, nach Palästina auszuwandern. Zuvor aber wollte ich die Schule abschließen. Es war schwierig, nach Israel zu gelangen. Die Einwanderer kamen zumeist illegal über die Türkei und Syrien dort hin. Im allgemeinen wurde nur eine beschränkte Anzahl von Einwandererzertifikaten ausgestellt. Um eines zu bekommen, mußte man sich auf lange Wartelisten setzen lassen.

An jedem Freitag abend trafen sich die Mitglieder des Schomer Hazaïr in der Haasgasse, später in der Kleinen Pfarrgasse. Der Versammlungsraum, ein Kellerlokal, war am Sabbat mit Kerzen beleuchtet, zumeist wurden von einer Kapelle hebräische Lieder intoniert. Religiöse Feste wurden als nationale gefeiert, dabei ging es sehr ungezwungen zu. Wir trugen übrigens blaue Hemden, wie die roten Falken, die Jugendbewegung der Sozialisten. Der Schomer Hazaïr prägte mich für Jahrzehnte. Er wurde vom Staat toleriert, weil wir ja nicht die Absicht hatten, Politik in Österreich zu machen, sondern nach Palästina auszuwandern. Erst jetzt bin ich langsam wieder gläubig geworden, denn es leuchtete mir ein, daß der Schomer nur *ein* Bein hatte – wir Juden müssen aber auf beiden stehen.

Jeden Sonntag machte der Schomer – Burschen und Mädchen gemeinsam – Ausflüge in den Wienerwald. Die Jüngsten in der Gruppe hießen »Benjamin«, das waren die Volksschüler bis hinauf zu den Vierzehnjährigen.

Der Schomer lehnt die »Assimilation« ab, und ich hörte allmählich auf zu wünschen, als Österreicher akzeptiert zu werden. Natürlich wollte man die Juden auch aus dem Ghettodasein befreien. Wir tranken und rauchten nicht und gingen weder in ein Kaffeehaus noch in eine Tanzschule. Am ehesten konnte man uns noch mit den »Wandervögeln« vergleichen. Man saß um das Lagerfeuer und sang oder traf sich im Heim. Es gab auch andere jüdische Vereinigungen, wie den Betar*, die Bewegung des Jabotinsky. Die Mitglieder trugen braune Hemden, sie waren nationalistisch-zionistisch, antisozialistisch und militant ausgerichtet. Wir haben sie faschistisch genannt, sie uns kommunistisch. Bei Ausflügen kam es zu Raufereien mit ihnen. Ich bin Schlägereien aber immer aus dem Weg gegangen. Die Benei Akiba**, die Jugendbewegung der Misrachi (Osten) war religiös-zionistisch orientiert. Rabbiner führten dort das Wort. Andere Vereinigungen waren gemäßigter und ohne feste Ziele. Wir sammelten in blau-weißen Büchsen Geld, das für den Ankauf von Land in Palästina verwendet wurde. Jabotinsky stand aber auf dem Standpunkt, daß man Land nicht kaufen, sondern nur mit Blut gewinnen könne – darum die militante Ausbildung beim Betar.

Lizzy Weiser

Beim Schomer erhielt jeder einen hebräischen Namen. Ich hieß nun statt Karl: Seef (Wolf). 1935 lernte ich im Schomer Lizzy Weiser kennen, die zwei Jahre jünger war als ich. Sie hieß im Schomer »Alisa« (die Fröhliche). Ihre Eltern waren assimilierte Juden und wohnten am Rande des Wiener Praters, in einem Villenviertel, das der »Schüttel« genannt wurde. Der Vater, ein hoher Beamter bei der Bundesbahn, Rudolf

* Nach einer Festung westlich von Jerusalem.
** Nach einer volkstümlichen Gestalt des talmudischen Judentums.

Weiser, war ein gutaussehender Mann. Er malte in seiner Freizeit Bilder. Ich wurde von ihm öfters eingeladen. Später fühlte ich mich in Lizzys Elternhaus wohl, weil bei ihnen nie eine so gespannte Stimmung herrschte wie bei uns zu Hause. Lizzy war ein hübsches Mädchen mit blauen Augen und aschblondem Haar. Sie trug Dirndlkleider. Das war damals Mode. Heute würde man sagen, sie war ein richtiges Wiener Mädel; übrigens hatte sie keine Ahnung vom Judentum. Ich habe mich sehr in sie verliebt. Zunächst hielt ich die Verbindung vor meinen Eltern geheim, aber als ich ihnen alles erzählte, besuchten auch sie Lizzys Eltern und luden sie zu sich nach Hause ein. (Je stärker die Nationalsozialisten in Deutschland wurden, desto näher rückten die Juden zusammen. Man legte nicht mehr einen so großen Wert auf Unterschiede wie früher. Für die assimilierten Juden war das Judentum oft etwas Unangenehmes, etwas, dem man im Grunde nicht gerne angehörte. Nun begannen auch sie anders darüber zu denken.)

Lizzys und meine Eltern ahnten und wußten schon bald, daß man auswandern mußte. 1934 bedauerten alle Juden, daß Bundeskanzler Dollfuß von den Nazis ermordet worden war. In ganz Wien stellten die Katholiken Kerzen in die Fenster – durch seine Ermordung wurde Dollfuß in Österreich nachträglich beliebter. Die »Heimwehr«, die »Schutztruppe« auf seiten der Vaterländischen Front und ihre Befehlshaber Fey und Starhemberg blieben allerdings verhaßt. Es herrschte wie gesagt eine starke Arbeitslosigkeit. Besonders für Juden wurde es jetzt immer schwerer, eine Stelle zu bekommen. Die Geschäfte gingen schlecht und die jüdischen Firmen getrauten sich nicht, Juden anzustellen, das hätte einen noch größeren Antisemitismus in der Bevölkerung ausgelöst. Es folgte die Zeit der Entlassung vieler Juden – zuerst der Akademiker, dann der Angestellten. Ich bekam nach Schulschluß in Wien keine Arbeit mehr, erst vier Wochen bevor ich flüchtete, begann ich als Volontär in der Berggasse – im Lager einer jüdischen Textilfirma.

Ich freute mich immer auf das Wochenende. Jeden Samstag nachmittag war ich als Claquer am Volkstheater engagiert, für die Freikarten mußten wir laut applaudieren. Mit Lizzy ging ich ab und zu in das Rembrandt-, das Augarten- oder das Helioskino; der Schomer sah es allerdings nicht gerne, wenn man sich absonderte – das Leben sollte sich innerhalb der Gruppe abspielen.

Nach den Heimabenden brachte ich Lizzy eine halbe Stunde zu Fuß durch den Prater nach Hause. Sehr lange hatten wir ein mehr als unschuldiges Verhältnis. Wir waren beide unerfahren in der Liebe. Wenn wir uns verabschiedeten war es zumeist nicht später als zehn Uhr abends.

In meiner Freizeit spielte ich auch gerne Ping pong. In der Taborstraße, wo sich heute das Hotel Zentral befindet, gab es eine Tischtennishalle mit acht Tischen, die einem Juden, Herrn Flußmann gehörte. Man mußte eine Kleinigkeit für die Benutzung, den Schläger und den Ball bezahlen. Einmal spielte ich dort gegen den Europameister Bergmann – natürlich war er besser als ich. Ich habe daneben viel gelesen, das meiste mußte ich mir ausleihen, denn ich besaß nur drei Bücher: »Die drei Musketiere« von Alexandre

Dumas, »Oliver Twist« von Charles Dickens und »Die Elenden« von Victor Hugo. Als Kind las ich den »Rübezahl« und »Max und Moritz«, den »Robinson Crusoe«, »Gullivers Reisen«, die »Sagen des klassischen Altertums«, die »Deutschen Heldensagen« und »Sigismund Rüstig«, die Geschichte eines gestrandeten Seemanns. Außerdem ging ich regelmäßig schwimmen: im Winter ins Dianabad, im Sommer ins »Gänsehäufel«.

Mit dem Jahr 1938 änderte sich mein Leben dann schlagartig.

Dritter Bericht

Der Anschluß 1938

Von Bundeskanzler Schuschnigg, der auf den ermordeten Dollfuß folgte, nahmen wir an, daß er gemäßigter sein würde als sein Vorgänger. Aber das war ein Irrtum.

Die Not war groß, auch unter den Juden, daher verstand ich den mit der Arbeitslosigkeit zusammenhängenden Antisemitismus nicht. Es gab zwar viele jüdische Ärzte und Rechtsanwälte in Wien und zahlreiche kleine jüdische Geschäfte, aber in der Leopoldstadt lebte die Mehrheit knapp über oder sogar unter dem Existenzminimum.

Die nationalsozialistische Bewegung wurde zuerst in Deutschland, dann auch in Österreich (in der Illegalität) zu einer solchen Elementargewalt, daß sie unaufhaltsam schien. Besonders die Jugend und die Arbeiter fühlten sich von ihr angesprochen.

Am 12. Februar kam es zu einer Begegnung von Schuschnigg und Hitler auf dem Obersalzberg in Bayern; Schuschnigg mußte daraufhin Seyss-Inquart als Innenminister in sein Kabinett aufnehmen. Wir betrachteten das als böses Vorzeichen. Vierzehn Tage später empfing Schuschnigg eine Abordnung illegaler Sozialdemokraten, die ihm ihre Unterstützung gegen die Nazis anboten, aber Schuschnigg gab keine Zusage. Vor dem Einmarsch der deutschen Truppen am 12. März sah man überall auf dem Asphalt und an Hausmauern die Kruckenkreuze, das Symbol für den Ständestaat, aufgemalt. Es gab keine sichtbare Gegenpropaganda der Nazis, die formell noch immer verboten waren. Die Christlichsozialen verteilten Flugzettel in Wien für ein »freies, christliches, deutsches Österreich«. Es wurde auch demonstriert, Heimwehrler kamen in Uniformen vom Land und veranstalteten Aufmärsche. Plötzlich – zwei oder drei Tage vor dem Einmarsch der deutschen Truppen – tauchten die Sozialdemokraten wieder auf. Sie kamen meistens aus den Arbeiterbezirken und demonstrierten für Österreich. Bis zum 11. März fanden an den Abenden gleichzeitig Demonstrationen von Nazis und Antinazis in der Roten-Turm-Straße statt: Auf der einen Seite riefen die Demonstranten »Heil Schuschnigg«, auf der anderen ihre Gegner »Heil Hitler«. Auch Sozialisten und Kommunisten demonstrierten für Österreich. Manche ballten die Fäuste. Ich ging auf der österreichischen Seite mit, allerdings habe ich nicht in das Geschrei miteingestimmt. Die Polizei hielt die Menschenmenge auseinander – sonst wäre es zu Schlägereien gekommen. Auf einmal – unmittelbar bevor die deutschen Truppen einmarschierten – wurde bekannt, daß Schuschnigg zurückgetreten war... Daraufhin strömten die Christlichsozialen und die Sozialdemokraten in die Seitengassen ab und die Nazis beherrschten die Straße. Es brach Jubelstimmung aus: »Sieg Heil!« und »Deutschland erwache!«-Rufe. Plötzlich erschien eine Gruppe von Polizisten mit Hakenkreuzbinden. Ein unbeschreiblicher Siegestaumel ergriff die Menschen. Ich eilte nach Hause... Die Juden trauten sich kaum mehr auf die Straße... Selbst in der Leopoldstadt nicht.

Die Juden müssen Straßen waschen

Kurz darauf, am 14. März, zog Hitler in Wien ein. Überall, von Gebäuden und aus Fenstern hingen Hakenkreuzfahnen, die Straßen waren voll mit Menschen. Unmittelbar nach der Kundgebung auf dem Heldenplatz, bei der Hitler vom Balkon der Hofburg zur Menge gesprochen hatte, mußten Juden die Kruckenkreuze vom Asphalt und den Mauern wegwaschen. Ich hielt es zu Hause nicht aus und ging in die Stadt. Ich sehe nicht besonders jüdisch aus, außerdem trug ich meine Lederhose. Als ich an der Schwedenbrücke vorbeikam, sah ich einen Menschenauflauf. Ich trat näher und erkannte, daß die Passanten einen Kreis bildeten. Auf der freien Fläche knieten jüdische Männer und Frauen, die Männer zum Teil im Kaftan, aber auch in gewöhnlicher Straßenkleidung. Sie waren damit beschäftigt, unter den schadenfrohen Zurufen der Umstehenden die Kruckenkreuze mit Lauge und Handbürste wegzureiben. Man stieß auch Fußgänger, die jüdisch aussahen, in den Kreis hinein und zwang sie, »mitzuarbeiten«. Das war für die Zuschauer »eine Hetz«. Die Polizei war nicht zu sehen, dafür Uniformierte mit Hakenkreuz-Armbinden. Höhnische Bemerkungen fielen. Ich hätte mich nicht getraut zu widersprechen. Vorbeikommende, die von den Vorgängen abgestoßen waren, gingen rasch weiter und schauten weg. Einerseits fürchtete ich mich nicht, weil mich niemand beachtete. Andererseits wagte ich nicht weiterzugehen, weil ich Angst hatte, dann aufzufallen. Als alles weggewaschen war, mußten die Juden eine Reihe bilden, und der Kreis löste sich auf. Auch ich ging weiter. Unterwegs sah ich andere Gruppen, die Hauswände abrieben, aber ich hielt nicht mehr an, sondern stahl mich über Seitenwege nach Hause. Ein paar Tage hielt diese Volksbelustigung an. Auf dem Weg zu meiner Großmutter sah ich, wie die Nazis Juden aus den Kaffeehäusern holten und in Lastwagen zum Verhör abführten. Das ging unter Stößen und Beschimpfungen vor sich. Die Juden ließen sich alles gefallen. Was hätten sie auch tun sollen? Selbstverständlich sah ich auch, daß Rollbalken und Auslagenscheiben in der Leopoldstadt mit der Aufschrift Jude und dem Davidstern beschmiert waren.

Was folgte

Am 10. April sollte eine Volksabstimmung über den vollzogenen Anschluß durchgeführt werden. Die Bischofskonferenz beschloß einen Hirtenbrief, der die Empfehlung enthielt, bei der Abstimmung mit Ja zu stimmen, Kardinal Innitzer unterzeichnete ihn mit Heil Hitler. Auch der spätere österreichische Präsident, der Sozialdemokrat Karl Renner, sprach sich im »Neuen Wiener Tagblatt« für den Anschluß an Nazideutschland aus. Inzwischen hatte Hermann Göring bei einer Kundgebung erklärt, daß Wien innerhalb von vier Jahren »judenrein« sein müsse.

In die Slowakei

Zu dieser Zeit beantragte ich einen Paß im tschechoslowakischen Konsulat, weil ich Wien verlassen und in der Slowakei Arbeit suchen wollte. Im Konsulat klärte man mich auf, daß ich den tschechoslowakischen Militärdienst nicht mehr abzuleisten brauchte, weil ohnehin schon alles verloren sei. Man riet mir, nach England auszuwandern, da es keine Visumpflicht zwischen der Tschechoslowakei und England gab. An diesen Rat habe ich mich später erinnert. Ich meldete mich beim Schomer für eine Auswanderung nach Palästina an und verabschiedete mich von Lizzy. Lizzy fuhr in das Marchfeld, nach Schwardorf. Dort befand sich das Gut eines Juden, der Jugendliche des Schomer in die Landarbeit einwies. Ich hatte keine große Lust, auf dieses Gut zu gehen. Die Landwirtschaft interessierte mich nicht, und ich hatte in der Slowakei Verwandte: den Bruder und die Schwester meines Vaters mit deren Familien. Eigentlich war es eine Flucht. Ich wollte Wien hinter mir lassen und die Tschechoslowakei war damals noch demokratisch.

Žilina

Meine slowakischen Sprachkenntnisse waren überaus gering. Ich arbeitete in einer kleinen Feldbahnen-Fabrik für Bergwerke in Žilina als Hilfsdreher. Ein deutscher Wanderarbeiter, übrigens kein Nazi, brachte mir sehr viel Handwerkliches bei. Die Fabrik gehörte einem ungarischen Juden, Arpad Stark. Daß er mich aufnahm, war schon eine Bevorzugung. Auch dort senkte sich bereits die Dämmerung herab. Ein paar Monate später, am 29. September, wurde im Münchener Abkommen der Vertrag zwischen Hitler, Chamberlain, Daladier und Mussolini geschlossen, der die Abtretung von Randgebieten der Tschechoslowakei an das Deutsche Reich vorsah. Ein halbes Jahr später besetzte Hitler den Rest des Landes. In der Zeit, die ich in Žilina bis zum Münchener Abkommen arbeitete, war ich sehr unglücklich. Meine Tante Irene Ring besaß am Hauptplatz ein gut gehendes Schuhgeschäft, das sie zusammen mit ihrem Mann Jakob betrieb. Sie hatte zwei Töchter, Magda und Lydia. Ich wohnte nur ein paar Tage bei ihnen, denn bis auf Magda war die Familie unfreundlich und verhielt sich allgemein überheblich. Sie war gegen den Schomer, der in ihren Augen aus Kommunisten bestand. Die Wohnung lag über dem Geschäft auf dem schönen Hauptplatz mit Laubgängen, unter denen sich die Bauern einfanden, um Erdbeeren und Heidelbeeren zu verkaufen. Nach kurzer Zeit zog ich zu meinem Onkel Heinrich Berger, seiner Frau und deren Tochter. Mein Onkel Heinrich war Sozialist, er arbeitete als Setzer bei einer Zeitung. Die Tante hingegen hatte bürgerliche Anschauungen, war aber nicht orthodox (religiös). Beide waren arme Leute. Vor der Hitlerzeit kamen sie oft nach Wien, um meinen Vater zu besuchen, der ihnen Geld gab. Onkel Heinrich war nicht sehr angesehen in der Familie, weil er kein Kaufmann, sondern bloß Arbeiter war. Er nahm mich sehr herzlich auf. Die Straße, in der ich wohnte, lag zwischen zwei Friedhöfen. Ich bezahlte für Kost und Logis und ging in meiner Freizeit zum Schomer. Die Menschen in Žilina hatten keine Ahnung, was in Österreich vor sich ging. Sie wußten nicht, daß die Juden ihre Arbeit verloren hatten und ihre Geschäfte beschlagnahmt worden waren. Ich selbst dachte damals noch nicht an eine Ausrottung der Juden, obwohl auch in der Slowakei der Antisemitismus fühlbar war. Man konnte zum Beispiel an Hauswänden die Aufschrift: »ŽIDIA DO PALESTÍNY« und »NA SLOVENSKU LEN SLOVA'CI« – »Juden nach Palästina« und »In der Slowakei nur Slowaken« sehen. Allerdings war der Druck, der auf die Juden ausgeübt wurde, nicht so groß wie in Wien. Man beließ ihnen noch die Geschäfte und Fabriken. Auch Deutsch wurde in der Slowakei nicht gerne gehört, der Staat war nationalistisch ausgerichtet. Übrigens war es, wie sich später herausstellte, ein Glück für mich, daß ich aus Žilina wieder abreiste. Mit Sicherheit wäre ich in der Slowakei ums Leben gekommen, da ich von dort aus nicht nach England hätte emigrieren können. In Wien hatte sich die Lage in der Zwischenzeit weiter verschlechtert. Die Wohnung meiner Großmutter war beschlagnahmt worden, ebenso das Papiergeschäft meines Onkels Elias. Sie hatten keine Existenzgrundlage mehr und lebten von ihren wenigen Ersparnissen. Zusammen mit anderen jüdischen Familien hatte man sie in die Wohnung eines Hauses am Karmelitermarkt eingepfercht. In diesem Haus wurden Juden aus verschiedenen Straßen und Gassen des Bezirks zusammengestopft. Manche sprangen vor Verzweiflung aus dem Fenster. Meine Großmutter und mein Onkel lebten einige Monate dort, dann brachte man sie in unsere Volksschule, von wo sie schließlich deportiert wurden. Keiner von ihnen kehrte zurück.

Wien

Ich war von Žilina aus auf der Donau mit einem Schiff nach Wien gefahren, sobald Lizzy von Schwardorf zurückgekommen war. Mein Vater hatte im Gegensatz zu meiner Großmutter und meinem Onkel die Wohnung behalten dürfen, weil er tschechoslowakischer Staatsbürger war. Als ich vor der Tür stand, war auf ihr ein schriftlicher Hinweis angebracht: »Diese Wohnung steht unter dem Schutz des tschechoslowakischen Generalkonsulats.« Die meisten Hausbewohner waren zwangsweise im Gebäude am Karmeliterplatz untergebracht worden oder ausgewandert. Die Emigranten hatten ihre Möbel »verkauft«. In die »leeren« Wohnungen waren inzwischen »illegale Nazis«, die schon vor dem Einmarsch der Truppen bei der Partei gewesen waren, eingezogen, oder Nazis, die in der Partei Protektion hatten. In unserem Haus hatten zuvor nur Juden gewohnt, jetzt aber war – außer meinen Eltern – von den jüdischen Mietern nur eine Österreicherin übriggeblieben – eine Witwe, die mit einem Juden in einer Mischehe verheiratet gewesen war.

Es bestand jetzt auch die Kleidervorschrift, daß Juden keine weißen Stutzen und Lederhosen mehr tragen durften. Auf den Bänken in den Parks war die Aufschrift: »Nicht für Juden« zu lesen. Wir durften außerdem nicht mehr in das Dianabad schwimmen gehen, nur noch in das Römerbad, wo ausschließlich Juden verkehrten. Der Fußballklub Hakoah war aufgelöst worden – es herrschte unter den Juden in Wien überall ein ungeheurer Auflösungsprozeß. Kaum war ich in Wien angekommen, wollte ich es auch schon verlassen. Selbstverständlich konnte ich nirgendwo Arbeit finden. Ich faßte daher den Entschluß, mit Lizzy nach Palästina auszuwandern. Wir besprachen uns, wenn wir zusammen waren und malten uns die Zukunft in Palästina aus. Das machte uns optimistischer. Der Schomer existierte noch. Er war in die Tempelgasse übersiedelt, dort trafen wir uns zumeist und lernten Hebräisch.

Der Vater

Mein Vater war damals fünfzig Jahre alt und konnte weder englisch noch hebräisch sprechen. Er wußte nicht, wohin er auswandern und was er machen sollte. Er wünschte nur, daß meine Schwester und ich das Land verließen. Meine Mutter hingegen wollte nicht ohne meine Großmutter auswandern, beide standen in einem sehr engen Verhältnis zueinander.

Miklŏs

Schließlich wanderte meine Familie 1940 in die Slowakei aus, nach Mikloš, wo mein Vater geboren wurde. In Mikloš gab es zahlreiche Lederfabriken. Ich war als Kind oft dort. Die Waag floß durch den Ort und man konnte von der Brücke aus sehen, wie das Leder vorüberschwamm. Der Gestank, der im ganzen Ort zu riechen war, war schrecklich. In Mikloš lebten reiche jüdische Lederfabrikanten, aber man behandelte meinen Vater schlecht. Ich weiß, daß er sehr enttäuscht war.

Hechaluz

Nach meiner Rückkehr bewarb ich mich mit Lizzy um ein Auswanderungszertifikat für Palästina. Das Amt, das diese Zertifikate ausstellte, befand sich am Salzgries und hieß Hechaluz (der Pionier). Wir warteten vergeblich. Die Betar versuchte inzwischen mit Schiffen über die Donau wegzukommen.

Die Reichskristallnacht

Die Reichskristallnacht vom 9. zum 10. November 1938 war ein von den Nationalsozialisten organisiertes Pogrom gegen die Juden. Sie war, obwohl es keines Anstoßes mehr bedurft hätte, ein Ereignis, durch das der Wunsch nach Auswanderung noch dringlicher wurde. Die Nazipropaganda nahm die Ermordung des deutschen Diplomaten Ernst vom Rath in Paris durch Herschel Grünspan als Vorwand und stellte die Ausschreitungen der Bevölkerung als spontanen Akt der Entrüstung dar. Ich hörte von der Ermordung im Radio. Am Abend sah ich vom Fenster aus SS-Männer in die Leopoldstadt laufen. Ich hatte Angst und verließ das Haus nicht. Unser Hausmeister hatte wieder die Eingangstür versperrt.

Plötzlich hieß es, daß die Tempel brannten. Ich wollte das unbedingt sehen und lief daher auf die Straße. Ich war vielleicht naiv, denn ich überlegte nicht, in welche Gefahr ich mich begab. Am Karmelitermarkt und in der Schiffgasse standen Menschen in Gruppen auf den Gehsteigen. Die Neugierigen, die sich den Brand ansahen, schimpften über die Juden, und die wenigen Juden, die ich traf, waren bestürzt. Die Schiffschul stand in Flammen. Obwohl die Stimmung haßerfüllt war, wurde ich nicht angegriffen. Das wunderte mich jedoch nicht, denn zumeist wurde ich nicht für einen Juden gehalten. Einmal wurde ich sogar auf der Aspernbrücke von einem Mann mit einer Sammelbüchse um eine Spende für die deutsche »Winterhilfe« angesprochen. Ich gab ihm eine Münze, um keinen Argwohn zu erregen, und der Mann heftete mir ein geschnitztes Manderl auf den Revers. Merkwürdigerweise kann ich mich nur an wenige Einzelheiten der Reichskristallnacht erinnern. Ich sehe aber noch das Bild vor mir, wie die Schiffschul brennend zusammenstürzte.

Flucht

Für Mädchen und jüngere Frauen bestand die Möglichkeit, als Dienstmädchen in England zu arbeiten. Sie mußten allerdings eine Familie finden, die sie bei sich aufnahm. In England gab es zahlreiche jüdische und nichtjüdische Familien, die damals dazu bereit waren, obwohl sie vielleicht keine Hilfe brauchten. Lizzy hatte keine Ahnung von Hauswirtschaft und

Kindererziehung, ihre Eltern sahen jedoch eine Möglichkeit, daß sie noch rechtzeitig und unbeschadet wegkam. Die Ausreise war aber schwierig. Lizzy mußte sich tagelang beim englischen Konsulat anstellen und den Nachweis erbringen, daß sie keine Schulden hatte. Vor dem Gebäude hatte sich eine riesige Menschenschlange gebildet. Als sie endlich die Einreiseerlaubnis und die Arbeitsbewilligung in Händen hatte, fuhren wir zum Westbahnhof. Ich weiß noch, daß unsere Eltern, die auch die Fahrtkosten bezahlten, uns bis zum Bahnsteig begleiteten. Mein Vater gab mir überdies noch zehn Mark als Notgroschen mit auf die Reise. Auf dem Bahnsteig sah ich ihn zum letzten Mal. Er winkte mir nach, als der Zug sich in Bewegung setzte. Auch meine Schwester Ditta und meine Mutter waren gekommen.

Im Waggon saßen ausschließlich Frauen, die nach England fuhren. Soweit ich mich erinnern kann, waren es nur Jüdinnen. Bis zur Grenze sprach niemand. Die Angst, aufgehalten und zurückgeschickt zu werden, beschäftigte alle.

Ich trug kurze Hosen und einen Trenchcoat. In meinem Reisegepäck befand sich mein Reißzeug und das Lehrbuch für Maschinenbau von Freytag. Ich hatte das Gefühl, daß ich nie mehr nach Wien zurückkommen würde... Alles war überstürzt vor sich gegangen... Eigentlich war ich froh, im Zug zu sitzen. Ich hatte beim Abschied nicht geweint, ich war ja mit meiner Freundin Lizzy zusammen – aber die Situation meiner Eltern und meiner Schwester belastete mich doch. Ich hatte einen Koffer mit Wäsche und einen Pullover bei mir und natürlich meinen tschechoslowakischen Paß. In Wien hatte ich gehört, daß Ausreisende, die einen tschechoslowakischen Paß besaßen, an der Grenze aufgehalten und aus dem Zug geholt worden waren. Hierauf hatte man sie nach Dachau gebracht. Dachau war schon damals ein Begriff für den Schrecken, den die Nazis verbreiteten. Daher hatte ich vor der Grenzkontrolle große Angst. In Köln kaufte ich am Bahnsteig ein kleines Fläschchen Kölnischwasser (ich weiß nicht, weshalb mir das einfällt). Lizzy weinte die ganze Fahrt über, sie hatte schon zu weinen begonnen, als sie am Westbahnhof Abschied von ihren Eltern nahm. Wir erreichten schließlich die holländische Grenze, und ich wurde gefragt, was ich bei mir hätte. Ich antwortete: »Zehn Mark und den Ring, den ich am Finger trage.« Daraufhin gab mir der Grenzer den Paß zurück und sagte: »Ja, lassen wir es.« Er schaute nicht einmal in meinen Koffer. Ich war froh, daß ich Deutschland hinter mir gelassen hatte, aber ich befürchtete insgeheim, daß die Holländer uns Schwierigkeiten machen könnten. Man fragte uns aber nur nach unserem Ziel und ließ uns durchreisen. Als wir durch Holland fuhren, war die Stimmung im Abteil plötzlich gelöst, wenn auch vermischt mit Traurigkeit. Wir hatten uns ja von unseren Verwandten getrennt und standen vor einer ungewissen Zukunft. Zum ersten Mal auf der Fahrt kam ein Gespräch zustande. Jeder erzählte, woher er kam und wie er die Tage vor der Flucht verbracht hatte. Am Nachmittag erreichten wir den Hafen Veissingen und gingen an Bord eines englischen Schiffes, das Vindobona hieß. Es war für mich eine Ironie des Schicksals, daß es ausgerechnet den Namen der Stadt trug, die ich hinter mir gelassen hatte. Auf dem Gang des Schiffes entdeckte ich überdies einen alten Stich von Wien mit dem Stephansdom. Das fand ich sehr merkwürdig.

Ankunft

Wir liefen in Harwich ein, und ich wartete darauf, was geschehen würde. Für die englischen Passagiere gab es eine eigene Gangway, die zur Paßkontrolle führte. Ich stand an Bord und beneidete sie darum, daß sie Engländer waren. Lizzy war vor mir an der Reihe: Sie hatte den Permit-Stempel in ihrem Paß und durfte von Bord gehen. Hierauf wurde ich gefragt, weshalb ich nach England einreisen wollte. Ich gab mich als Tourist aus und begann zu stottern. Mein Englisch war damals nicht sehr gut, außerdem war ich nervös. Daraufhin wollte der Einwanderungs-Beamte wissen, wieviel Geld ich bei mir hätte. Ich gab an: »Zehn Mark«.

»Damit können Sie nicht viel anfangen ...«, sagte der Beamte, »wollen Sie jemanden besuchen?«

Ich antwortete: »Ich habe niemanden.«

Vor dem Schiff wartete ein Zug, in den Lizzy inzwischen gestiegen war. Ich verfiel nicht in Panik, denn ich hatte ja ihre Adresse, aber es war eine unangenehme Situation.

»Ich kann Sie nicht einreisen lassen«, sagte der Beamte, »Sie sind ein Flüchtling, kein Tourist. Merken Sie sich, wenn Sie nach England kommen, müssen Sie immer die Wahrheit sagen.« Hierauf schickte er mich auf das Schiff zurück. Vom Deck aus sah ich den Zug, in den Lizzy gestiegen war, abfahren. Das Schiff sollte am nächsten Tag wieder Veissingen anlaufen, und ich wußte, daß ich, wenn nicht etwas geschah, von den Holländern nach Deutschland zurückgeschickt würde. An Bord kümmerte sich niemand um mich. Ich setzte mich vor den Stich von Wien und wartete. Es war eine ekelhafte Situation. Die ganze Nacht über war mir weh zumute, und ich schlief keine Minute. Am nächsten Vormittag, als die Crew auf dem Schiff Vorbereitungen traf abzulegen, kam ein englischer Beamte auf mich zu und wies mich an, von Bord zu gehen. Ich wurde in ein Gebäude mit einem Warteraum gebracht. Inzwischen legte die Vindobona ab. Aber man hatte – so erfuhr ich – die Absicht, mich mit einem anderen Schiff zurückzuschicken. Gegen Mittag rief Lizzy aus London an und beruhigte mich. Sie war im Jewish Refugee Committee gewesen und man hatte ihr versprochen, eine Garantie abzugeben, daß ich dem Land nicht zur Last fallen würde. Auch in England herrschte Arbeitslosigkeit. Ich ging wieder in den Warteraum zurück, wo ich allein mit meinen Gedanken und Befürchtungen war. Am Nachmittag erschien Lizzy mit einer Dame namens Allison Wood, einer Quäkerin aus vornehmer Familie, die unbezahlt im Jewish Refugee Committee arbeitete. Die Quäker machten sich im Zweiten Weltkrieg sehr um Flüchtlinge verdient. Mrs. Wood brachte mir einen Bescheid mit, den ich dem Beamten, der mich zurückschicken wollte, vorlegte. Der Beamte war sehr freundlich, kontrollierte die Papiere und gab mir einen Stempel in meinen Paß mit folgendem Inhalt: »Permitted to land and to stay in Great Britain for 6 months under the condition, that the holder does not take any employment payed or unpayed.« Das heißt, ich mußte vom Komitee erhalten werden. Wir nahmen die nächste Eisenbahn, die vollgestopft mit Flüchtlingen war, nach London, ohne daß ich wußte, wo ich in der nächsten Nacht schlafen würde.

In London

Am Bahnsteig in London erwartete uns ein Mann mit einem Davidstern auf der Jacke. Es war schon spät und dunkel. Er sprach mit uns in einem englischen Jiddisch, das ich kaum verstand. Schließlich mußte ich mich von Lizzy verabschieden.

Wir fuhren zum Jewish-Shelter, einer ärmlichen Herberge mit einem großen Schlafsaal, in dessen Betten Männer lagen und die Neuankömmlinge beobachteten. Nachdem ich mein Gepäck abgestellt hatte, brachte man mir etwas zum Essen, aber ich war von allem, was ich sah, nur abgestoßen und entsetzt. Die Heimleiter waren äußerst unfreundlich zu mir. Sie waren es gewohnt, Ostjuden zu empfangen, die aus Polen, Rußland und Rumänien geflüchtet waren und jiddisch sprachen. Sobald jemand nicht jiddisch sprach, wie ich, war er für sie kein richtiger Jude mehr, sondern ein Goj, ein Fremder. Das Essen schmeckte mir nicht, es bestand aus saurem Hering und Brot. Am nächsten Morgen, in aller Früh, verließ ich das Jewish-Shelter. In der Whitechapel Road stieg ich in einen der zweistöckigen Busse, ich wußte nicht einmal, wohin er fuhr. Ich schaute mir nur die Auslagen der Geschäfte an, ohne etwas zu kaufen. Von Lizzy hatte ich zwar einige Shillings bekommen, ich wollte sie mir aber für einen Imbiß und ein Nachtquartier aufheben. Abends suchte ich dann die Heilsarmee in der Whitechapel Road auf. Die Zustände waren hier noch schlimmer als im Jewish-Shelter. Der Schlafsaal war ein riesiger Raum, wie das Hauptschiff einer Kirche. Über hundert eiserne Bettgestelle standen in ihm … Ich befand mich unter Obdachlosen, Landstreichern und Bettlern. Bald stellte ich fest, daß die Bettwäsche voller Flöhe war … Die Heilsarmee war ein großes Nachtasyl. Ich ging anderntags zum Jewish-Shelter zurück; von dort schickte man mich mit einem anderen Flüchtling zum Komitee.

Auf dem Land

Das Flüchtlingskomitee arbeitete mit Dormans Land, einem schönen Landsitz mit einer schloßartigen Villa und herrlichen Gärten, der eine Stunde von London entfernt war, zusammen. Wir durften jedoch nicht in Dormans Land bleiben, sondern wurden einer Dependance, »Old Surrey Hall« in Apsley Town zugewiesen. Dort hatten wir verschiedene Arbeiten zu verrichten, entweder als Gärtner, Holzfäller oder in der Landwirtschaft. Old Surrey Hall war eine Art Asylantenlager. Ich traf viele Flüchtlinge – wir waren achtunddreißig junge Männer –, die ein ähnliches Schicksal hatten wie ich. Wir durften zwar spazierengehen, aber den Ort nicht verlassen. Da es nur sehr wenig zu essen gab, war ich immer hungrig. Zumeist arbeitete ich als Fuhrwerker mit den Pferden im Wald. Wir zersägten Baumstämme, verluden sie und verbrannten die Äste. Meinen Eltern schrieb ich, um sie nicht zu beunruhigen, daß es mir gut gehe. Nach vierzehn Tagen rief ich Lizzy an und zwei weitere Wochen später kam sie auf Besuch nach Apsley Town. Wir gingen in den Wald spazieren und hatten uns viel zu erzählen. Auf das Zimmer, das ich mit einem anderen Burschen teilte, durfte ich sie nicht mitnehmen.

Tomaschov

Bis Kriegsbeginn hielt ich mich im Lager auf und Lizzy besuchte mich an jedem freien Wochenende. Eine Bahnfahrkarte konnte ich mir nicht leisten (wir erhielten nur ein kleines Taschengeld, das gerade für ein paar Zigaretten reichte), sonst hätte mich nichts aufgehalten, nach London zu fahren. Im Laufe der Zeit freundete ich mich mit einem gleichaltrigen Emigranten aus Bratislava (Preßburg) an, der Tomaschov hieß. Er stammte aus einer bekannten, orthodoxen Familie. Unsere erste Gemeinsamkeit war, daß er kein Deutscher war ... Wir waren mit unseren tschechoslowakischen Pässen die einzigen »friendly aliens« im Lager. »Friendly aliens« (freundliche Fremde) waren Flüchtlinge, die nicht aus Deutschland oder Österreich stammten, zum Unterschied von den »enemy aliens«, den »feindlichen Fremden«. Die »enemy aliens« mußten vor Tribunalen aussagen, die darüber entschieden, ob sie interniert wurden oder nicht.

Zum Militär

Am meisten litten wir darunter, daß wir keine Zukunft sahen. Als ich eines Tages im Radio hörte, daß sich England im Kriegszustand mit Deutschland befände, war ich sehr froh darüber: Endlich geschah etwas gegen Hitler, der in Europa immer mächtiger wurde. Ich beschloß, auf eigene Faust nach London zu fahren und mich zur Armee zu melden. Bei der nächstbesten Gelegenheit hielt ich auf der Straße ein Privatauto an und bat darum, mich mitzunehmen. Der Fahrer war überaus hilfsbereit, als er hörte, daß ich zum Militär wollte. Es herrschte im ganzen Land eine Aufbruchsstimmung. In London meldete ich mich beim Jewish Committee und teilte ihm mit, daß ich mich als Soldat melden würde. Das Jewish Committee war wenig erfreut darüber. Mrs. Allison Wood, die Quäkerin, die meinen Fall bearbeitete, war ohnedies aus religiösen Gründen gegen den Krieg. Sie riet mir, einen Kurs für Schweißer zu belegen und für die Kriegsindustrie zu arbeiten. Ich meldete mich jedoch beim tschechoslowakischen Konsulat, wo man mein Angebot dankend annahm, mir aber zu verstehen gab, daß noch einige Zeit verstreichen würde, bis eine Legion aufgestellt würde. (Heute denke ich mir, daß die älteren Flüchtlinge gescheiter waren. Sie gingen im Exil arbeiten, verdienten Geld und kauften sich eines Tages ein Haus. Wir jüngeren meldeten uns statt dessen zum Militär.) Ich fuhr zur Farm zurück und beriet mit Tomaschov, was wir machen sollten. Wir wollten ja nicht in Apsley Town bleiben, wenn es Krieg gab und Geschichte gemacht wurde.

Lizzys Eltern

Inzwischen waren Lizzys Eltern aus Österreich geflüchtet. Ich traf sie bei meiner Fahrt nach London im Hyde Park. Sie hatten nur deshalb eine Aufenthaltsbewilligung erhalten, weil sie weiter nach Chicago emigrieren wollten. Für Auswanderer nach Amerika gab es eine »Quotenregelung«. Die Amerikaner erklärten sich bereit, eine bestimmte Anzahl von Flüchtlingen aufzunehmen, sofern sich für diese ein Bürge fand. Die Bürgschaft, das sogenannte Affidavit, übernahmen in der Regel Verwandte oder reiche Juden, wie zum Beispiel die Familie Lauder, die für viele jüdische Flüchtlinge bürgte und ihnen damit das Leben rettete. Lizzys Eltern hatten die Affidavits und erhielten die Einreisegenehmigung. Auch ich hatte mich in Wien um eine Ausreise nach Amerika bemüht. Zwar hatte ich das Affidavit erhalten, die Quotenregelung für tschechoslowakische Juden war aber wesentlich ungünstiger als für deutsche. Ich hätte, so sagte man mir in Wien, zwei Jahre auf die Auswanderung warten müssen, was aber in Anbetracht der kommenden Ereignisse nicht mehr möglich gewesen wäre.

Ich war zuerst der Meinung, daß Lizzys Eltern vorausfahren würden. Bei unserer Begegnung aber stellte mich der Vater vor die vollendete Tatsache, daß Lizzy ihn nach Amerika begleiten müsse. Er meinte, eine vorübergehende Trennung sei vielleicht auch gut, es würde sich herausstellen, ob wir wirklich zusammengehörten. Wir seien noch jung und sollten nichts überstürzen. Ich war damals zwanzig Jahre alt und Lizzy neunzehn. Ich sagte: »Gut, aber laß uns doch vorher heiraten.« Lizzy wollte zwar auch heiraten, aber sie hing sehr an ihrem Vater. Ich konnte ihn nicht umstimmen. Und seine Frau machte das, was ihr Mann wollte.

Abschied

Am Tag der Abreise begleitete ich Lizzy zur King's Cross Station, von wo aus die Züge nach Bristol abfuhren. Auf den Geleisen standen dampfende Lokomotiven. Lizzys Eltern stiegen in einen der Züge ein, damit wir alleine voneinander Abschied nehmen konnten. Wir gingen auf dem Bahnsteig spazieren, Lizzy gab mir ihre Adresse, dann mußte auch sie sich zu ihren Eltern in das Abteil begeben. Ich erinnere mich, wie sich die Pleuelstange und die Räder der Lokomotive in Bewegung setzten. Lizzy weinte. Ich kann nicht weinen. Ich kam mir sehr allein und verlassen vor, als der Zug langsam aus dem Bahnhof verschwand.

1940. Mein Plan

Von da ab wollte ich unter keinen Umständen länger auf der Farm bleiben. Meine Absicht war es, ein Schiff zu finden und Lizzy nach Amerika zu folgen. Tomaschov zögerte, aber schließlich verließen wir das Lager, ohne uns abzumelden. Wir hatten ja tschechoslowakische Pässe und hofften, uns damit überall frei bewegen zu dürfen.

Nach Plymouth

In London suchten wir sogleich die Heuerbüros am Hafen auf, die uns jedoch ablehnten, weil es eine Bestimmung gab, daß nur Engländer auf englischen Schiffen arbeiten durften. Man sagte uns aber, daß es in Plymouth leichter möglich sein würde, auf ein Schiff zu gelangen. Im Krieg war es relativ einfach, ein Auto anzuhalten. Man nahm uns aus Hilfsbereitschaft oft eine Stunde weiter mit, als man selbst fahren wollte. Am Stadtrand von Plymouth sahen wir schon von weitem die Schiffe vor Anker liegen. Wir fanden das Büro einer norwegischen Schiffskompanie und baten um Arbeit. Der Beamte schickte uns auf einen kleinen Frachtdampfer mit Namen Sigrid, er hatte, wie ich später erfuhr, sechstausend Registertonnen. An Bord konnten wir ohne Schwierigkeit anheuern. Allerdings wurde uns verschwiegen, wohin wir in See stechen würden. Das entsprach einer im Krieg üblichen Vorsichtsmaßnahme, da man fürchtete, daß deutsche U-Boote von der Fahrtroute Kenntnis erlangen und das Schiff versenken würden.

Vor dem Auslaufen wurde der Hafen von deutschen Flugzeugen bombardiert. Tomaschov und ich brachten uns mit zwei jungen Frauen unter einer Brücke in Sicherheit. Mir gefiel, so merkwürdig das heute klingt, das Bombardement in einer Art Galgenhumor. Das Spektakel der roten und grünen Abwehrraketen war für mich wie ein Feuerwerk, auch wenn dabei der Hafen angegriffen und Schiffe beschädigt wurden. Das Bombardement dauerte die ganze Nacht über. Ich saß auf einem Mauervorsprung, und das Mädchen drückte sich eng an mich. Damals wußte man nicht, ob man den nächsten Tag noch erleben würde.

Vierundzwanzig Stunden bevor wir die Anker lichteten, erhielt der Kapitän ein versiegeltes Kuvert mit den Angaben der Reiseroute und des Zielhafens. Erst auf hoher See wurde die Mannschaft über den Kurs informiert. Als man uns das Fahrtziel Glasgow bekanntgab, war ich enttäuscht.

Die Gullhaug

In Glasgow suchten wir ein größeres Schiff, da wir annahmen, daß es eine weitere Strecke zurücklegen würde als ein kleines. Schließlich fanden wir die Gullhaug. Sie wies am Bug mehrere Einschußlöcher auf. Der Kapitän war mit dem Schiff beim Einmarsch der Deutschen aus Norwegen geflüchtet. Wir meldeten uns an Bord und heuerten an: Tomaschov als Leichtmatrose, ich als Kombüsengehilfe. Die Gullhaug hatte Maschinen geladen. Zunächst mußten wir warten, bis ein Konvoi zusammengestellt war. Daraus konnten wir ersehen, daß eine längere Fahrt geplant war, denn kein Schiff durfte über eine größere Strecke ohne Begleitschutz in See stechen.

Lizzy war inzwischen schon in Chicago. Sie wußte nichts von meinen Absichten. Ich hatte vor, sie mit meiner Ankunft zu überraschen und malte mir aus, wie ich ihr in Amerika plötzlich gegenüberstehen würde.

Auf See

Als ich hörte, daß das Schiff nicht nach Amerika, sondern nach Kanada, und zwar nach Sydney fuhr, war ich unzufrieden. Ich machte mir jedoch Hoffnung mit dem Gedanken, alles würde sich zu seiner Zeit ergeben. Auf der Fahrt bat ich den Kapitän, ebenso wie Tomaschov als Leichtmatrose arbeiten zu dürfen, da der Koch homosexuell war und mich belästigte. Außerdem gefiel mir die Arbeit eines Leichtmatrosen besser. Der Konvoi bestand aus zwanzig Schiffen und wurde von fünf kleinen, schnellen Kriegsschiffen begleitet. Die Gullhaug führte Wasserbomben gegen U-Boote mit sich und war mit einer Vierlingsflak gegen feindliche Flugzeuge bestückt. Aber das war, wie man sagt, »für die Katz«. Viele Schiffe wurden damals von deutschen U-Booten versenkt.

Ich hatte als Leichtmatrose das Steuerrad zu führen: Meine Aufgabe bestand darin, dem vorausfahrenden Schiff zu folgen, und zwar so, daß der Mast der Gullhaug deckungsgleich mit dem Mast des Vorderschiffes war. Das war weniger leicht, als es sich anhört. Wenn man auch nur kurz den Mast des Vorderschiffes aus den Augen verlor, kam man vom Kurs ab, weil das Schiff sich schnell wegdrehte. Aus diesem Grund erschienen der Kapitän und der Steuermann auch regelmäßig, um meine Arbeit zu kontrollieren. Der Kapitän war, ich scheue mich nicht, es zu sagen, ein edler Mensch. Sein Name war Ugland.

Seekrank

Unterwegs wurde ich seekrank. Mir war totenübel, ich wollte mich nur noch in meine Kajüte legen, aber man erlaubte es mir nicht. Ich mußte statt dessen meine Arbeit verrichten. Man überredete mich auch, etwas zu essen. Anfangs fühlte ich mich schlecht, und ich mußte mich in einem fort übergeben. Langsam besserte sich aber mein Zustand, und schließlich war ich wellenfest.

Vierter Bericht

Ein Sturm

Ein Teil der Besatzung war schon einmal schiffbrüchig gewesen, als ein deutsches U-Boot das Frachtschiff, auf dem sie fuhr, versenkte. Die Matrosen erzählten mir das wie das nebensächlichste Ereignis. Als jedoch der furchtbare Sturm aufkam, erschrak selbst der Kapitän. Die Gullhaug war klein und alt und ursprünglich ein Küstenschiff. Die Wellen türmten sich vor ihm auf wie Gebirge. Hatte es den Wellenkamm erreicht, stach es fast senkrecht in die Tiefe. Alles bebte und zitterte, bevor es langsam wieder, wie von einer unsichtbaren Hand gehoben, aufstieg, um sodann nach rückwärts abzukippen. Manchmal legte es sich auch auf die Seite und geriet in eine Wirbelbewegung. Kaum hatte es sich aufgerichtet, stieg es neuerlich hoch und stürzte gleich darauf senkrecht in die Tiefe. Immer wieder schlugen die Wellen über dem Schiff zusammen. Der Kapitän stand hinter mir und sagte mir die Kompaßeinstellung an. Ich konnte den Kurs nur mit Mühe halten, denn das Schiff gehorchte nicht mehr dem Ruder. Am Mast hing eine gelbe, gußeiserne Lampe und im Laufe des Sturmes erhielt ich den Befehl, sie herunterzuholen, damit sie, wenn der Sturm sie losreißen sollte, keinen Schaden anrichten konnte. Als ich den Mast hinaufklettern wollte, fiel sie herunter und traf mich am Kopf. Das Schild meiner Kappe fing etwas von der Wucht ihres Falles auf, aber der Schlag traf mich so heftig am Auge, daß ich das Gleichgewicht verlor. Ein Matrose eilte mir zu Hilfe, mein Auge schwoll jedoch so stark an, daß ich eine Zeitlang nichts sehen konnte. Allmählich stellte sich im Chaos ein gewisser Fatalismus ein. Ich dachte mir: Kommt das Schiff durch, ist es gut, kommt es nicht durch, ist es auch gut. Der Sturm dauerte einen Nachmittag und die ganze Nacht über an. Am nächsten Morgen erst legte sich das Unwetter. Die See war spiegelglatt. Wir sahen, daß der Konvoi verschwunden war. Wir hatten auch jede Verbindung zu ihm verloren, da unser Funkgerät zu Bruch gegangen war. Der Kapitän war der Ansicht, daß unsere Lage nicht nur ein Nachteil war. Die U-Boote suchten in der Regel Konvois und griffen sie an, als Einzelschiff waren wir daher unauffälliger. Andererseits waren wir ohne Schutz. Wir mußten überdies langsamer fahren, denn unsere Maschinen waren durch den Sturm beschädigt. Normalerweise brauchte man für die Strecke von England nach Kanada acht Tage – wir waren vierzehn Tage auf See. Später erfuhr ich, daß der Schutz eines Konvois ohnedies fragwürdig war. Wurde ein Schiff getroffen, fuhr der Konvoi zunächst weiter, um sich selbst in Sicherheit zu bringen. Erst am nächsten Tag begab man sich auf die Suche nach Schiffbrüchigen.

Streit

Tomaschov und ich sprachen miteinander nur deutsch, weil wir Deutsch am besten beherrschten. Das mißfiel den beiden Lappen, die an Bord waren. Sie bildeten sich von Anfang an ein, wir seien Spione. Als einer von ihnen schwer betrunken war, beschimpfte er uns und fing an, uns zu verfolgen. Wir versuchten ihm auszuweichen, aber er ließ sich nicht abschütteln. Plötzlich stürzte er sich mit einem Messer auf Tomaschov. Sofort warf sich ein Norweger dazwischen, und man sperrte den Lappen zur Ausnüchterung ein. Wir gingen ihm daraufhin aus dem Weg. Der Kapitän war auf unserer Seite. Das war die Hauptsache.

Nach Kanada

Die Weiterfahrt verlief ruhig und ging ohne Konvoi vonstatten. Unterwegs mußten wir das Deck mit einem Schaber abkratzen. Später wurden Farbtöpfe ausgeteilt, und man wies uns an, die Reling zu streichen. Die letzte Strecke war schön, die Nacht sternenklar. Damals verliebte ich mich in die Seefahrt... Möwen tauchten auf, ich wußte, daß wir uns in der Nähe des Festlandes befanden. »Amerikanische Möwen«, dachte ich mir und hatte ein freudiges Gefühl.

Auf der Fahrt wurde es immer kälter, wir waren jetzt nicht weit von Neufundland entfernt. Zuerst erreichten wir Pugwash und gingen dort an Land; es war von Eis und Schnee bedeckt, so daß ich den Eindruck hatte, in Grönland zu sein. Wir hielten uns nur kurz auf, luden Holz und nahmen Kurs auf Sydney.

Im Hafen von Sydney

Sydney ist ein größerer Hafen mit einem regen Leben und Farbigen, die unsere Ladung löschten. Wir mußten tagsüber das Schiff außen bemalen. Ich hing auf einem von Seilen gehaltenen Brett vor dem Bug und hatte Zeit nachzudenken, aber es fiel mir keine Möglichkeit ein, wie ich von Sydney nach Amerika gelangen konnte. Ich beschloß daher, mit der Gullhaug zurück nach England zu fahren und von dort einen neuerlichen Versuch zu unternehmen. Unabhängig von mir kam Tomaschov zu dem selben Ergebnis. Ich versuchte zwar, Kontakte mit kanadischen Juden aufzunehmen, doch meine Bemühungen waren vergeblich. Außerdem wäre es mir nicht erlaubt worden, das Schiff zu verlassen, da man ja immer für eine Hin- und Rückfahrt anheuert. Wir lagen drei Wochen in Sydney vor Anker. Als wir nach England aufbrachen, wurden wir von einem anderen Konvoi begleitet. Die beiden Lappen sah ich nicht wieder.

London

Nach zehn Tagen liefen wir Greenrock, den Hafen von Glasgow an, wo unser Schiff entladen wurde. Die Mannschaft erhielt eine Woche Urlaub, und Tomaschov und ich waren entschlossen, es neuerlich mit der

Gullhaug zu versuchen. Vor allem hatten wir Vertrauen zum Kapitän, der wie ein Vater zu uns war. Wir verbrachten unseren Urlaub in London. Überall in der Stadt und in Glasgow hingen Plakate: »The enemy is listening« – »Feind hört mit«. Die englische Armee kämpfte damals noch nicht, aber es waren schon zahlreiche Handelsschiffe untergegangen. Möglicherweise war das der Grund für die Beliebtheit der englischen Seeleute. Wir ließen es uns gutgehen: Wir hatten Geld, und die Zukunft war weit, weit entfernt.

Neuerliche Überfahrt

Das nächste Ziel, erfuhren wir auf See, war der Hafen Halifax in Kanada. Ich war neuerlich enttäuscht darüber. Da ich mich nicht damit abfinden konnte, es ein drittes Mal zu versuchen, überlegte ich, bei der erstbesten Gelegenheit das Schiff zu verlassen, ohne vorher abzuheuern. Man nennt das »to jump ship«. Unerlaubt von Bord zu gehen, wird auch in Friedenszeiten als Vergehen betrachtet, für das man bestraft wird. Im Krieg wurde das Verlassen des Schiffes noch strenger geahndet, weil man nicht wissen konnte, ob der Betreffende ein Spion war. Es fiel mir schwer, heimlich von Bord zu gehen: Die Seefahrt machte mir Freude, und außerdem war ich mir der Gefahr nicht bewußt, der ein Matrose im Krieg ausgesetzt ist. Ich hatte auch ein schlechtes Gewissen bei dem Gedanken, den Kapitän enttäuschen zu müssen. Die Seefahrt fand ich, war alles in allem gut für mich: Ich wurde von einer Gemeinschaft aufgenommen, kam herum, verdiente

Geld und gab während der Fahrt nichts aus. So überlegte ich hin und her und beschloß endlich, es doch ein drittes Mal zu versuchen, also erst von Bord zu gehen, wenn wir die Vereinigten Staaten erreichen würden. Aber im Hafen von Halifax übernahm Tomaschov plötzlich die Initiative.

To jump ship

Ich war noch an Bord beschäftigt, als Tomaschov sich schon in die Stadt begeben und Kontakte aufgenommen hatte. Er hatte einem Geschäftsmann, einem russischen Juden, erzählt, daß zwei jüdische Flüchtlinge aus Österreich zu ihren Verwandten nach Amerika unterwegs seien. Noch am selben Nachmittag gingen wir ohne Ausgeherlaubnis von Bord und blieben bei der jüdischen Familie über Nacht. Das war das »to jump ship«. Den Kapitän sah ich nie mehr wieder. Lange Zeit hatte ich Schuldgefühle, wenn ich an ihn dachte. Aber gleichzeitig meldete sich immer auch der Gedanke an Lizzy. Tomaschov hingegen lebte in den Tag hinein, er machte alles nur aus Abenteuerlust.

Nach Montreal

Am nächsten Morgen fuhren wir mit der Bahn nach Montreal. Wir besaßen nur wenig Geld – üblicherweise wird man erst ausbezahlt, wenn man abheuert. Der jüdische Geschäftsmann, der wußte, wie es um uns stand, bezahlte uns die Fahrkarte und verschaffte uns neue Kleider, denn wir wollten mit unseren Lederjacken, Mützen und Stiefeln nicht gleich als Seeleute erkannt werden. In Montreal war es bitterkalt, ich fror jämmerlich und überall an den Straßenrändern türmten sich Schneehaufen. Ich sah zum ersten Mal Wolkenkratzer, von denen in Europa immer nur mit Staunen gesprochen wurde. Wir suchten die Adresse, die wir erhalten hatten, auf und fanden mehr als zwei Monate Unterschlupf bei den Verwandten des jüdischen Geschäftsmannes aus Halifax.

Windsor

Zuerst beschäftigte uns der Gedanke, wie wir in die Vereinigten Staaten gelangen konnten. Schließlich fanden wir heraus, daß es im Norden, an der Grenze, eine Doppelstadt – Windsor – gab, deren einer Teil in Kanada, der andere aber in Amerika lag. Offiziell durften wir ja nicht in die Vereinigten Staaten einreisen, da wir kein Visum hatten.

Mountain Police

Die kanadische Regierung hatte zu diesem Zeitpunkt Gesetze erlassen, welche die Zu- und Einwanderung von Juden verhindern sollten. Ich hatte begonnen, mich nach Schwarzarbeit umzuschauen, da ich Geld brauchte, um meinen Plan auszuführen. Als ich eines Tages von der Arbeitssuche nach Hause kam, warteten bereits zwei Mann der Canadian Mountain Police in der Küche auf mich. Tomaschov war schon verhaftet. Man brachte uns auf die Wache und verhörte uns. Die Polizisten waren, als sie von unserem Schicksal erfuhren, sehr freundlich, sie trösteten uns sogar. Schließlich schoben sie uns aber mit der Eisenbahn nach Halifax ab, denn es lag eine Anzeige des Kapitäns vor, der uns als fehlend hatte registrieren lassen. Es war Anfang März. Man sperrte uns am Hafen in ein Gefängnis, in dem hauptsächlich Seeleute untergebracht waren, die wie wir ohne Erlaubnis ihre Schiffe verlassen hatten. Fast alle Nationen waren vertreten, vor allem aber: Griechen, Chinesen und Holländer. Mit einigen freundeten wir uns an.

Im Gefängnis

Die Verpflegung im Gefängnis war gut. Ich aß zum ersten Mal in meinem Leben Maiskörner, die bei uns nur als Hunde- und Schweinefutter verwendet werden. Sie schmeckten mir ausgezeichnet. Überhaupt gefiel es mir zunächst im Gefängnis. Gegen niemanden wurde Anklage erhoben. Außerdem besuchten uns regelmäßig Frauen der jüdischen Gemeinde, die uns alles besorgten, was wir benötigten. Es hatte sich herumgesprochen, daß wir Flüchtlinge waren, vor allem, weil der Kapitän der Gullhaug uns bei seiner Abgängigkeitsmeldung als Flüchtlinge vor Hitler bezeichnet hatte. So gerieten wir nicht in Verdacht, Spione zu sein. Wir, Tomaschov und ich, baten die Frauen, die zumeist mit einflußreichen Juden verheiratet waren, uns eine legale Einwanderung in die Vereinigten Staaten zu verschaffen, aber es gab kanadische Gesetze, die das unmöglich machten, unter anderem deshalb, weil wir illegal ein Schiff verlassen hatten. Sie rieten uns, nach England zurückzufahren und dort die Quote abzuwarten, wie es die Vorschrift für eine Emigration verlangte.

Pegasus

Die Gesellschaft im Aufenthaltssaal wechselte fortlaufend, denn täglich erschienen Kapitäne mit Listen und suchten Trimmer, Küchengehilfen oder Matrosen für eine Überfahrt nach Europa. Es war jedem freigestellt, den Aufenthalt im Gefängnis zu beenden, sofern er anheuerte. Als Tomaschov und ich unsere Pläne als gescheitert betrachten mußten, gingen wir auf ein griechisches Schiff, die Pegasus. Ich suchte es aus, weil mir der Name gefiel. Es war größer als die Gullhaug und hatte Weizen geladen. Aber der Unterschied zwischen dem norwegischen und dem griechischen Schiff war wie Tag und Nacht. Die Norweger waren gewerkschaftlich organisiert, freundlich, sprachen englisch und deutsch, und die Arbeitseinteilung war korrekt. Die Griechen hingegen waren unfreundlich und ausländerfeindlich. Die Arbeit, die wir durchzuführen hatten, wechselte mit jedem Tag, außerdem war der Kapitän mürrisch. Das Schiff konnte man eher als ein schwimmendes Dorf bezeichnen. Als Proviant wurden Ziegen gehalten, in einer überdachten Hütte an Deck waren Hühner eingesperrt. Tomaschov nannte das Schiff eine Arche Noah. Als wir in Swansea einliefen, war ich desillusioniert. Ich beschloß, die Versuche, mit einem Schiff nach Amerika zu kommen, endgültig aufzugeben und es statt dessen auf legalem Weg zu probieren. Beim Abheuern weigerte sich der Kapitän, mir etwas zu bezahlen. Erst auf mein Drängen rückte er ein paar Pfund heraus. Es war aber nicht die Summe, die mir zustand. Wir gingen daraufhin zur Seemannsunion, die uns später auch das Geld verschaffte. Die englischen Paßbeamten wollten uns allerdings nicht von Bord lassen. Durch den Ausbruch des Krieges galten Tomaschovs und meine Aufenthaltserlaubnis automatisch als bis zum Kriegsende verlängert, aber die Beamten erklärten uns, daß wir Großbritannien freiwillig verlassen und uns zuerst an Bord der Gullhaug auf norwegischem Boden befunden hätten und jetzt an Bord der Pegasus auf griechischem befänden. Aus diesem Grund hätten wir den Anspruch verloren, als Flüchtlinge betrachtet zu werden. Sie nahmen uns die Pässe ab und verschwanden. Ich war verzweifelt bei dem Gedanken, mit dem griechischen Schiff wieder nach Kanada zurückreisen zu müssen. Am selben Tag noch gingen wir, da das Schiff nicht unter Bewachung stand, von Bord und fuhren mit der Bahn nach London.

Abschied von Tomaschov

Zuerst suchten wir das tschechoslowakische Konsulat und das Jewish Committee auf. Man versprach uns, eine Vereinbarung mit der Polizei zu treffen, die uns eine Aufenthaltsgenehmigung in England beschaffen würde – sofern wir uns zur tschechischen Legion meldeten. Hierauf stiegen wir in einem Refugee-Hostel in Paddington ab. Am nächsten Morgen sagte mir Tomaschov zu meiner Überraschung, daß er nach Swansea zurückfahren und wieder an Bord der Pegasus gehen würde. Als Grund gab er an, er könne sich nicht entschließen, in die Legion einzutreten.

Begegnung in Swansea

Ich begleitete Tomaschov bis zum Hafen und verabschiedete mich von ihm in der Meinung, daß wir uns nie mehr wiedersehen würden. Das Auslaufen des Schiffes wollte ich nicht abwarten. Ich blieb dann aber noch einen Monat in Swansea, weil ich ein Mädchen kennenlernte. Ihr Vater war ein farbiger Schiffskoch aus Jamaika, die Mutter stammte aus Cardiff. Das Mädchen übte eine starke Anziehungskraft auf mich aus; wir waren die ganze Zeit über zusammen, bis ich nach London zurück mußte, weil mein Geld zu Ende ging.

Fünfter Bericht

London 1941

In London wurde ich vom »Czech Refugee Trust Found« unterstützt. Das Vermögen der Organisation stammte aus dem tschechischen Goldschatz, der beim Einmarsch der Nazis auf abenteuerliche Weise vor dem Zugriff Hitlers gerettet worden war. Ich wohnte wieder in Paddington neben dem Austrian Center in einem Hostel, das vom »Czech Trust« verwaltet wurde. Die Verpflegung war dürftig, ich hungerte damals wie viele andere auch ... Das Hostel wurde von sudetendeutschen Flüchtlingen geleitet. Einmal wurde ich von einer Explosion aus dem Schlaf gerissen, ich beachtete sie aber nicht weiter, sondern drehte mich um und schlief wieder ein. Als ich aufwachte, war eine Hälfte des Hostels durch eine Bombe zerstört. Von meinem Fenster aus blickte ich nur auf Trümmer.

Eva

Im »Austrian Center« trafen sich, wie der Name sagt, österreichische Flüchtlinge, darunter zahlreiche Juden. Sie waren übrigens fast alle unpolitisch. Man ging in das Center, weil man ein Fremder in London war und Landsleute traf. Es lag im Souterrain, einige

Zimmer waren als kleines Café hergerichtet. Die Atmosphäre war freundlich, manchmal sogar heiter. Im Café lernte ich die Schwester einer österreichischen Pianistin kennen. Eva arbeitete gerade als Aushilfskellnerin dort. Sie war außerordentlich hübsch. Ihre Schwester war mit ihren Eltern in Wien geblieben. Der Vater war Katholik, die Mutter eine getaufte Jüdin. Eva war sehr wienerisch. Sie war im Sacré-Cœur erzogen worden. Mit ihrer Tante war sie nach dem Anschluß 1938 aus Österreich geflüchtet: Die Tante hatte eine Stellung als Köchin gefunden, Eva war die Ausreise über einen von den Quäkern organisierten Transport gelungen. (Die holländische Organisation »Gildemaster« setzte sich damals besonders für Halbjuden ein.) Ich verliebte mich in Eva, und sie sich in mich. Als ich sie kennenlernte, lebte sie in einem Privathaus, einem Bed-Sitting-Room.

Wie man in London wohnt

Ein halbes Jahr später heirateten wir. Eva hatte ein Zimmer für sich allein. Die Toilette war auf dem Gang, ebenso wie das Bad, das man an einem Tag in der Woche benutzen durfte. Hunderttausende Engländer leben so – viele davon bis sie sterben. Wohnumstände dieser Art hat es in London immer schon gegeben. Trotzdem ist es eine verhältnismäßig teure Angelegenheit. Da es keine Möglichkeit zu kochen gibt, muß man immer außer Haus essen. Auf einem Gasring kann man gerade noch Tee kochen, allerdings muß man zuvor eine Münze einwerfen. Natürlich hat man keine eigenen Möbel. Es ist, will man sich zu Hause fühlen, überaus wichtig, daß man sich mit der Land-Lady, der Eigentümerin des Hauses, gut stellt. Oft ist es eine Witwe, die ihre Ersparnisse in einem Boarding-House angelegt hat. Sie räumt auf und sorgt für Ordnung. Man ist immer unter Aufsicht, die Atmosphäre ist zumeist kalt, hauptsächlich wohnen Singles auf diese Weise.

Hochzeit

Nachdem wir geheiratet hatten, zog ich mit Eva in ein Boarding-House in der Nähe. Wir hatten uns nur standesamtlich trauen lassen. Ein anderes junges Paar, das wir vom Austrian Center her kannten, war unser Trauzeuge. Hochzeitsgäste hatten wir keine geladen. Wir gingen anschließend in eine Imbißstube, wo wir Evas Tante trafen. Sie lud uns auf Kaffee und Torte ein. Die Tante war eine alte Jungfer, von Natur aus männerfeindlich und selbstverständlich gegen die Hochzeit. Was für uns ein Grund war zu heiraten, war für sie ein Gegenargument: Wir besaßen nichts und es gab keine Zukunft. Die Tante war zwar Jüdin (sie ließ sich auch nie taufen), doch war sie antijüdisch eingestellt. Das war, nehme ich an, auch der Grund, weshalb sie mich nicht mochte.

Lizzy

Ich empfand kein schlechtes Gewissen beim Gedanken an Lizzy. Ich hatte alles versucht und nichts erreicht. Schließlich hatte ich meine Hoffnungen, mit ihr jemals wieder zusammenzukommen, begraben. »That's the end of it«, hatte ich gedacht. Wenn wir geheiratet hätten, bevor sie nach Amerika ausgewandert war, hätte ich etwas in den Händen gehabt, für das es sich gelohnt hätte zu warten. So aber waren meine Hände leer.

Post aus Wien

Um diese Zeit erhielt ich von meiner Großmutter Post aus Wien. (Mein Vater war mit meiner Mutter und meiner Schwester bereits in die Slowakei geflohen und ließ nur ab und zu etwas von sich hören.) Sie schrieb mir, daß es ihr verboten sei, außerhalb gewisser Stunden Besorgungen zu machen. Außerdem durfte sie als Jüdin nur wesentlich kleinere Rationen einkaufen und mußte den gelben Stern tragen. Ich habe später gehört, daß meine Großmutter in dieser Zeit körperlich zusammenschrumpfte: Sie soll winzig klein geworden sein. Auch Onkel Elias und seine Frau mußten den Judenstern tragen – sie gingen deshalb nicht mehr auf die Straße. Daß die Juden in Wien verfolgt wurden, muß für jeden spürbar gewesen sein, der in der Stadt lebte. Die Juden durften die Straßenbahn nicht mehr benutzen, sich nicht mehr auf Bänke setzen, man degradierte sie vollständig. Und plötzlich fehlten sie. Welcher andere Schluß konnte möglich sein als der, daß sie deportiert worden waren? Selbst in den Zeitungen stand, sie würden in den Osten geschafft, damit sie arbeiteten. Viele Wiener Juden hatten aus der Zeit vor dem Anschluß Freunde und Bekannte – wenigstens diesen konnte nicht entgangen sein, was geschehen war und geschah.

Die Verwandten

Mein Vater versuchte indessen, meine Großmutter in die Slowakei zu bringen, was ihm aber nicht gelang. Einige Male schickte er ihr Geld und Pakete mit Wurst, Speck und Käse. In der Slowakei gab es noch alles in Hülle und Fülle. Sie war zu dieser Zeit schon ein klerikal-faschistischer Staat, mit einem Pfarrer, Pater Tiso, an der Spitze. Im Radio wurde gegen die Juden gehetzt. Viele von ihnen ließen sich damals taufen, in der Hoffnung, so überleben zu können ... Auch meine Eltern. Die Taufe schützte sie aber nur bis zum Jahr 1944, als nach einem Partisanenaufstand die Deutschen einmarschierten und die Juden zu deportieren begannen.

Emma

Das ehemalige Dienstmädchen meiner Großmutter, Emma, war inzwischen ihre einzige Hilfe in Wien. Sie brachte ihr Lebensmittel und kaufte für sie ein. (Wenn sie im Krieg jemand angezeigt hätte, weil sie Juden geholfen und sie mit Butter und Eiern versorgt hatte, wäre sie wohl in die größten Schwierigkeiten gekommen.)

Die politische Lage

Als ich im Radio hörte, daß Hitler Rußland überfallen hatte, war ich froh darüber, weil er es mit einem neuen Gegner zu tun bekam. Stalin war bekanntlich mit Deutschland in einem Nichtangriffspakt verbunden gewesen. Sobald die Kommunisten die Nazis jetzt am eigenen Leib verspürten, änderte sich ihre Haltung schlagartig. Den Kontinent hatte ich zu diesem Zeitpunkt schon abgeschrieben. Selbst über die Niederlage Frankreichs war ich nicht verzweifelt. Beim Fall von Dünkirchen hatte sich eine tschechische Legion, die sich am Kriegsgeschehen beteiligt hatte, nach England gerettet. Darunter waren zahlreiche Berufssoldaten und Offiziere aus der alten tschechoslowakischen Armee gewesen. Und diese begannen jetzt die Czechoslowakian Armed Brigade zu organisieren. Die tschechoslowakische Exilregierung in London wurde ja von den Engländern anerkannt, und die englische Bevölkerung gab uns nie das Gefühl, daß wir ihr lästig waren. Sie betrachtete uns als Alliierte.

Einberufung zur Exilarmee

1942 wurde ich endlich in die tschechoslowakische Exilarmee, zur Artillerie einberufen. Ich bekam eine Eisenbahnfahrkarte und die Zusicherung, daß Eva nachkommen konnte, sobald die Grundausbildung abgeschlossen war. Der Abschied fiel mir deshalb nicht so schwer. Auch war ich erleichtert, daß meine finanziellen Probleme fürs erste gelöst waren. Die Kaserne befand sich in der Nähe von Shakespeares Geburtsort, in Leamington Spa, und bestand nur aus einer Ansammlung von Holzbaracken. Ich wurde am Tag meiner Ankunft eingekleidet und erhielt ein Gewehr. Schon am nächsten Morgen begannen die Exerzierübungen.

Antisemitismus in der Exilarmee

Bald mußte ich feststellen, daß ich in Teufels Küche gekommen war. Ich konnte nur einige Brocken Tschechisch und wurde daher als Jude und Deutscher behandelt. Es gab kaum Juden in der Exilarmee und noch weniger, die ausschließlich deutsch sprachen. Den ganzen Tag wurden wir schikaniert und hatten die ekelhaftesten Arbeiten zu verrichten. Wir mußten die Latrinen reinigen, wurden beim Bettenbau angeschrien und zum Erdäpfelschälen eingeteilt. Die deutschsprechenden Juden wurden als »beschissene Deutsche« beschimpft. Es war aber allen klar, daß nur Juden in der tschechoslowakischen Exilarmee deutsch sprachen. Man getraute sich nicht, offen antijüdisch aufzutreten, daher benutzte man die deutsche Sprache, die wir verwendeten, als Vorwand, um den Antisemitismus auszuleben. Es war ein Teufelskreis: Wir konnten nicht Tschechisch, und weil wir nicht Tschechisch konnten, wurden wir angeschrien. Es gab sogar tschechische Nationalisten unter den Unteroffizieren und Offizieren, die Faschisten waren. Die Offiziere hielten sich aber zurück, weil sie auf ihre Karriere bedacht waren. Wir hatten ein unangenehmes Gefühl bei dem Gedanken, mit den anderen Soldaten an die Front versetzt zu werden. Allen Ernstes mußten wir in Betracht ziehen, daß sie uns umbringen würden.

Allmählich lernte ich aber Tschechisch und außerdem traten nach Beginn von Hitlers Rußlandfeldzug tschechische Kommunisten und Juden in die Exilarmee ein. Die Juden kamen aus Palästina: Sie waren zumeist keine Kommunisten, stammten ursprünglich aus der Tschechoslowakei und vertraten ihr Judentum sehr bewußt. Es waren so viele, daß sie in der Artilleriegruppe bald ein Drittel ausmachten. Sie wiesen die Tschechen in die Schranken. Die Umstände wurden dadurch zwar besser, der Antisemitismus blieb aber trotzdem fühlbar. Wir kümmerten uns jetzt nur weniger darum. Die tschechischen Kommunisten verhielten sich außerdem mit uns solidarisch und stellten sich gegen unsere Widersacher. Und nicht zuletzt erhielten wir fortlaufend neue jüdische Rekruten, die an Stelle von uns älteren schikaniert wurden.

Eva

Der Postdirektor von Leamington Spa, ein gewisser Robertson, den ich zufällig auf meiner Wohnungssuche kennenlernte, stellte mir aus Sympathie, weil ich Soldat der Exilarmee war, eine Mansardenwohnung zur Verfügung. Eva zog dort ein. Ich wurde daraufhin von meinen Vorgesetzten noch öfter schikaniert. Man verweigerte mir beispielsweise den Ausgang unter dem Vorwand, daß mein Gewehr nicht ordentlich gereinigt sei. Die Nacht durfte man ohnedies nur außerhalb der Kaserne verbringen, wenn man ein freies Wochenende oder Urlaub hatte, daher trafen mich die Schikanen um so mehr.

Alltag

Nicht nur der Postdirektor war hilfsbereit, ich habe ganz allgemein die englische Bevölkerung als freundlich und entgegenkommend in Erinnerung. Meine Soldatenwäsche übergab ich, bis Eva kam, einer Witwe. In der gebügelten Wäsche, die ich abholte, fand ich fast immer eine Tafel Schokolade oder eine Packung Zigaretten.

England

Im April ist England am schönsten. Um diese Zeit blühen die Krokusse. Die Engländer nehmen einen mit dem Auto überallhin mit, selbst wenn es »out of the way« ist. Damals konnte ich mich auf englisch schon gut verständigen. In Leamington Spa gab es eine Soldatenkantine, die von den feineren Damen der Umgebung geführt wurde. Kaffee, Tee und Biskuits wurden serviert ... Auch eine warme Mahlzeit, Bohnen und Toast konnte man bestellen.

Ruth

Im Sommer 1942 kam meine und Evas Tochter Ruth in Leamington Spa zur Welt. Ich besuchte Eva im Krankenhaus und brachte ihr Fuchsien mit. Privat war ich sehr glücklich, auch vom Krieg spürte ich nur wenig. Wenn ich aber an meine Verwandten auf dem Kontinent dachte, war ich niedergeschlagen. Ich bemühte mich zwar, meine Schwester nach England zu bringen, aber es gelang mir nicht.

Walton on the Naze

Von Leamington Spa wurden wir ans Meer verlegt. Wir waren etwa dreitausend bis viertausend Mann. Der Ort an der Küste hieß Walton on the Naze. Jeden Tag machten wir Morgensport am Meer. Das Gebiet war geräumt, denn man befürchtete eine Invasion der Deutschen. Eva kam mit unserem Kind bald nach. Die Landschaft gefiel mir außerordentlich gut: flache Wiesen, Leuchttürme, Buchten mit alten Booten, die an den Ufern lagen. Das Meer ist an den Küsten Englands überall kalt. In jedem Ort gibt es eine der schönen anglikanischen Kirchen, außerdem Methodisten-, Baptisten- oder Quäkerkirchen. Auch eine roman catholic chapel konnte man finden.

Identität

Damals wäre es mir lieber gewesen, kein Jude zu sein. Ich nahm mir zwar nicht vor, aus dem Judentum auszutreten, aber ich litt unter dem Antisemitismus. Ich wußte nicht mehr, was ich war. War ich Österreicher? Tscheche? War ich Jude? Oder schon Engländer? Irgend etwas mußte ich doch sein, sagte ich mir.

Sechster Bericht

Versetzungen

Wir waren in Walton on the Naze ein Teil der Küstenwache. Unsere Kanonen standen am Meer. Wir exerzierten mit ihnen am Vormittag wie am Nachmittag.

Einige Monate später wurde ich nach Huntington versetzt, das in der Nähe von Cambridge liegt ... Von dort nach Beccles in Suffolk. Auch in Beccles blieben wir nur einige Monate ... Hübsch ist ganz England mit seinen Rasen und Hecken ... Meine Frau wohnte mit dem Kind gegenüber der Kaserne bei einem Oberst der Heilsarmee. Die gesamte Familie machte Musik.

Einmal hatte ich Kasernenarrest, weil ich auf Wache mit meiner Frau, die vorübergegangen war, gesprochen hatte. Meine Frau kaufte mir für die Tage, die ich eingesperrt war, eine Pfeife. Von da ab ließ ich das Zigarettenrauchen ...

Von Beccles ging es weiter nach Chart in Sumerset. Es ist in eine hügelige Landschaft eingebettet. Hier gefiel es mir nicht sehr. Wir wohnten im Wald in Zelten. In Chart lagen schon die Amerikaner. Mir ist damals die Absonderung der Neger von den Weißen aufgefallen. Die Militärpolizei war oft im Einsatz, es gab viele Pubs. Die Neger waren eine eigene Gruppe ... Aus einigen Wirtshäusern, erinnere ich mich, wurden sie hinausgeworfen. Meine Frau und das Kind hielten sich unterdessen an der Küste, in Lyme Regis auf. Als nächstes wurden wir nach Schottland, nach Kelso am River Tweed versetzt. Die Gegend war romantisch wild: Wir hielten uns jedoch nicht lange auf, sondern zogen weiter zu Manövern nach Edinburgh. Edinburgh hat mir als Stadt imponiert ... Man kann das Nordlicht sehen ... Ein rosa Licht ... das ist schön ... Es war das erste Mal, daß ich in Edinburgh war.

Meine Frau war inzwischen mit dem Kind nach Oxford gezogen, zu einem Bekannten aus der tschechoslowakischen Armee und dessen Frau, die ein Haus gemietet hatten. Wenn es mir möglich war, verbrachte ich ein paar Tage Urlaub dort. Zuletzt war ich in Bridlington in Yorkshire. Alle Häuser waren leer. Auf der Straße sah man nur ein paar alte Leute und hin und wieder einen streunenden Hund. Wir lebten in einer toten Stadt.

Überlegungen, damals

Damals war Amerika schon in den Krieg eingetreten, und ich wußte, daß der Krieg, auch wenn er noch länger dauerte, von den Alliierten gewonnen würde. Vor allem dachte ich, daß mit seinem Ende auch alle Probleme gelöst sein würden. Allerdings bekam ich keine Briefe von meinen Eltern mehr. Ich hatte damals noch nichts von »systematischer« Ausrottung gehört. Ich wußte zwar, daß es Ghettos und KZs gab, aber was sich wirklich dahinter verbarg, kam mir nicht in den Sinn.

Invasion

Nach dem D-Day der Invasion verbreitete sich unter den Soldaten die Gewißheit, daß sie bald auf den Kontinent verlegt würden. Die tschechoslowakischen Antisemiten in der Armee waren in die Defensive gedrängt worden, vor allem durch die Kommunisten, die gut organisiert waren und von denen man wußte, daß sie in Zukunft Einfluß haben würden. Wir erhielten einige Tage Urlaub, und ich fuhr nach Oxford zu meiner Familie, bis wir schließlich eingeschifft wurden. Man ließ die gesamte tschechoslowakische Exilarmee mit ihren Kanonen auf einer Wiese in Essex Aufstellung nehmen und zum Hafen marschieren. Die Straßen waren voll von englischen, amerikanischen und polnischen Soldaten. Ein großes Schiff nahm uns an Bord und brachte uns nach Avromange in der Normandie, in das Departement Calvados.

In der Normandie

Ich war zum ersten Mal in Frankreich. Avromange war völlig dem Erdboden gleichgemacht, auch Caen. Die deutsche Armee hatte sich zurückgezogen. Sie versuchte aber noch Dünkirchen zu halten. In den zerstörten Häusern lebten nur noch Frauen. Auf den Straßen brannten Autos und zerstörte Panzer. Gefallene lagen auf der Erde. Es war das erste Schlachtfeld, das ich sah, und es löste einen Schock in mir aus. Wir kamen vor Dünkirchen zum Einsatz. Allerdings hatten wir keine direkte Feindberührung. Wir schossen nach Dünkirchen hinein, und die Deutschen von dort auf uns zurück. Später erfuhr ich, daß ein Cousin von mir, der bei der tschechoslowakischen Exilarmee war, vor Dünkirchen erschossen wurde. Ich bin ihm allerdings nie begegnet.

Das Wohnen in den Zelten im Winter war hart. Vor den Zelten standen unsere vier Kanonen. Den ganzen Tag feuerten wir Granaten ab – das war unsere Hauptbeschäftigung.

Einmal bekam ich zwei Tage Urlaub in St. Omer, einer sehr alten Stadt, die nicht zerstört war.

Frankreich fand ich trotz des Krieges schön. Ich nahm mir vor, einmal in Friedenszeiten zurückzukommen. Ich durfte auch eine Woche auf Urlaub nach Oxford fahren und später ein paar Tage nach Lille, an der belgischen Grenze.

Eine Begegnung

Am ersten Abend in Lille lernte ich eine junge Frau kennen. Wie sich herausstellte, war sie eine Prostituierte. Sie nahm mich mit auf ihr Zimmer, und ich blieb über Nacht bei ihr. Sie war nicht hübsch, aber sehr lieb. Am nächsten Morgen nahm sie nicht einmal Geld von mir, sie schenkte mir im Gegenteil amerikanische Zigaretten.

Krieg

An meinen Urlaubstagen verschärften sich die Kampfhandlungen an der Front. Als ich zu meiner Einheit zurückkehrte, wischte man gerade Blut und Gehirn eines Soldaten, mit dem ich gemeinsam in einem Zelt geschlafen hatte, von unserer Kanone. Mein Denken hatte sich damals schon der allgemeinen Gemütslage angepaßt, ich war nur froh darüber, daß ich es nicht selbst war.

Männer und Frauen

Bei nächster Gelegenheit fuhr ich wieder nach Lille, um das Mädchen zu suchen, aber ihre Wohnung war versperrt. Ich klopfte an, bis der Friseur erschien, der ein Stockwerk darunter sein Geschäft betrieb und mir sagte, daß sie mit ihrer Freundin von der Polizei abgeholt worden sei. Später erfuhr ich, daß sie sich mit einem deutschen Soldaten eingelassen hatte. Angeblich war sie verrückt nach uniformierten Männern. Ich machte noch einmal Urlaub in Oxford, in der heilen Welt, wie ich mir sagte. In Frankreich war ja alles durch den Krieg zerstört, auch die Beziehung von Männern und Frauen. Die Männer befanden sich im Krieg oder im Arbeitseinsatz, und die Frauen waren allein zu Hause. Die durchziehenden Soldaten brachten den Frauen Konserven, und die Frauen schliefen dafür mit ihnen.

In Deutschland

Im letzten Kriegsjahr 1945 wurden wir nach Deutschland versetzt. Es war ein merkwürdiges Gefühl, zurückzukommen. Für mich war es doch so etwas wie »Heimat« ... Vor allem die deutsche Sprache ... In Deutschland wurden wir in keine Kampfhandlungen mehr verwickelt, wir bewachten in erster Linie Flüchtlings- und Gefangenenlager. Ich bedauerte die Gefangenen, hatte aber keinen Kontakt zu ihnen.

Kriegsende

Vom Kriegsende erfuhr ich in Frankreich, auf einem schmalen Feldweg. Ich wollte allein sein und meine Gedanken ordnen.

Mit der Armee in die Tschechoslowakei

Die tschechoslowakische Exilarmee wurde bei Kriegsende von der englischen abgetrennt und an die amerikanische angeschlossen. Wir sollten sie im Kampf um die Tschechoslowakei unterstützen. Die meisten von uns wollten ohnedies an der Befreiung Prags teilnehmen. Auf der Fahrt durch Deutschland sahen wir das Ausmaß der Zerstörungen. Ich wußte noch nicht, was mit meinen Eltern geschehen war, aber die Engländer hatten inzwischen das KZ Bergen-Belsen befreit, und ich ahnte, welche Katastrophe über Deutschland hereingebrochen war. Daher betrachtete ich die Zerstörungen wie eine testamentarische Strafe. Die Ruinen von Häusern, die eingestürzten Brükken ... Ich war überzeugt davon, daß es notwendig gewesen war. »That's the war!« sagte ich mir. Ich sah die Zerstörungen in Koblenz, Mainz und Darmstadt ... Würzburg und Fürth waren vollständig vernichtet. Erst als ich das zerbombte Nürnberg sah, empfand ich Bedauern, da ich von der Stadt eine romantische Vorstellung hatte. Schließlich erreichten wir den Böhmerwald, wo wir in Kolinetz einquartiert wurden.

Flüchtlinge

Die Dörfer waren uns zu Ehren geschmückt, auf Spruchbändern wurde die tschechische Armee willkommen geheißen. Überall lief die Bevölkerung auf die Straßen, um uns zuzujubeln. Die Tschechoslowakei war damals noch nicht kommunistisch.

Unterwegs begegneten uns Flüchtlingszüge aus dem Osten, ich glaube aus Siebenbürgen. Die Menschen flohen vor den Russen auf Leiterwagen und trieben ihr Vieh vor sich her. Mir zog es das Herz bei ihrem Anblick zusammen. Die Tschechen behandelten sie schlecht, sie weigerten sich auch, das Vieh Wasser trinken zu lassen. Für mich war es bedrückend, das mitansehen zu müssen. Viele Flüchtlinge hatten Hunger. Wir hatten einen Kübel, in den die Essensreste geschüttet wurden und als ich ihn herumreichen wollte, schlug ihn mir ein tschechischer Offizier aus der Hand. Trotzdem teilte ich Zigaretten und Schokolade aus, es bestand jedoch ein strenges Fraternisierungsverbot. In Prag erhob sich mittlerweile die Bevölkerung gegen die Deutschen, wir mußten aber im Böhmerwald bleiben, da es eine Abmachung gab, daß die Russen Prag befreien würden.

Im Böhmerwald

Anfangs hatten wir den Auftrag, im Böhmerwald nach Werwölfen zu suchen, also »Soldaten zu spielen«. Ich bekam nie einen zu Gesicht. Aber wir hatten dabei Gelegenheit zu beobachten, was in den Dörfern vor sich ging. Den Sudetendeutschen wurde die gesamte Habe weggenommen, sozusagen auf legalem Weg: Radios, Fahrräder, Autos. Sie mußten weiße Armbinden tragen und hatten am Abend Ausgehverbot. Ich war in Klatovy (Klatau), Sucice (Schüttenhofen) und Kasperske Hory (Bergreichenstein). Die Sudetendeutschen verließen das gesamte Gebiet und langsam kamen die Tschechen. Mit den Sudetendeutschen vertrug ich mich schon wegen der gemeinsamen Sprache besser als mit den Tschechen. In Kolinetz lernte ich die Angehörigen des Besitzers eines Schlosses kennen ... Den alten Besitzer hatten tschechische Zivilisten vor unserem Einmarsch umgebracht. Ein Teil der Familie war geflohen, die übrigen, hauptsächlich Frauen, hatte man in die Wirtschaftsgebäude gesperrt. Tagsüber mußten sie auf dem Gut arbeiten. Früher hatten die Tschechen als Taglöhner für die deutschen Herren die Felder bebaut, jetzt mußten die ehemaligen Herren für ihre früheren Taglöhner schuften. Viele Jahre später lernte ich in Wien den Sohn des alten Besitzers kennen und erzählte ihm, was ich gesehen hatte.

Ich empfand nur Bedauern darüber, daß der Krieg diese Folgen hatte.

Einmal sprach mich eine tschechische Frau an und beklagte sich, daß die Juden wieder zurückgekommen seien. Sie wollte sich bei mir anbiedern, weil sie nicht wußte, daß ich selbst Jude war. »Eine schöne Heimat ist das«, sagte ich zu ihr, bevor ich sie stehen ließ.

Auf der Suche nach der Familie

In der Tschechoslowakei wollte ich nicht bleiben, sondern nach Oxford zu meiner Frau und dem Kind zurückkehren. Vorher wollte ich jedoch wissen, was mit meiner Familie geschehen war. Ich schrieb nach Mikloš, von wo ich den letzten Brief meiner Eltern erhalten hatte und bekam von meiner Schwester die Nachricht, daß sie mit meiner Mutter von den Russen aus Theresienstadt befreit worden sei und sich nun in Mikloš aufhielt. Über meinen Vater schrieb sie nichts. Ich nahm Urlaub von der Armee, stopfte einen Rucksack mit Konserven, Zigaretten und Schokolade voll und machte mich auf den Weg. Eisenbahn- oder Busverbindung gab es keine mehr. Ich fuhr ein Stück mit einem Lastwagen, dann mit einem Transportzug, den Rest der Strecke legte ich zu Fuß zurück. Ich war auf eigene Gefahr unterwegs. Da ich vom amerikanisch besetzten Gebiet ins russische wechselte, konnte es leicht sein, daß ich den Russen in die Hände fiel und als Spion verdächtigt wurde. Außerdem verstand ich ihre Sprache nicht. Ich ging deshalb sofort in Dekkung, sobald ich einen russischen Soldaten sah. Je tiefer ich in die Slowakei gelangte, desto wilder wurde die Landschaft. Zwölf Tage war ich unterwegs, das letzte Stück, in der Hohen Tatra, auf einem Ochsenwagen. Der Bauer hatte Getreidesäcke geladen. Ich versuchte, mit ihm auf tschechisch zu sprechen, aber Tschechen und Slowaken mögen einander nicht. Wir fuhren den Fluß Waag entlang. Ein Gewitter kam auf, es begann zu regnen. Ab und zu setzte ich mich auf den Wagen, dann ging ich, wie der Bauer, nebenher. In Mikloš fragte ich mich nach der Kultusgemeinde durch. Als ich sie fand, war gerade eine Ausspeisung für Juden, die aus Lagern zurückgekehrt waren, im Gange. Meine Schwester und ich sahen uns gleichzeitig. Sie ließ ihren Gefühlen freien Lauf, mir war es unangenehm, meine Gefühle zur Schau zu stellen. Auf dem Weg zu unserer Mutter erfuhr ich, daß mein Vater beim Transport von Oranienburg nach Sachsenhausen erschossen worden war. Genaueres erzählte mir dann der Mann meiner Schwester, der mit meinem Vater die ganze Zeit über in Sachsenhausen zusammengewesen war. Ich verspürte keine Rachegefühle – nur Ohnmacht.

Meine Familie wohnte in einer primitiven Baracke. Meine Mutter hatte mich nicht erwartet. Es war ein bewegtes Wiedersehen.

Siebenter Bericht

Das Schicksal meiner Familie

1941 zogen meine Eltern mit meiner Schwester von Wien in die Slowakei. Anfangs hatten sie mit großen Schwierigkeiten zu kämpfen, bis mein Vater einen Posten als Vertreter einer Lederfabrik erhielt und beruflich in der Slowakei und Ungarn herumreiste. Allerdings fanden sie keine Wohnung und mußten in Untermiete leben. Meinen Vater behandelte man in seinem Geburtsort wegen seiner langen Abwesenheit wie einen Fremden. Die Beschränkungen wurden immer einschneidender, man hoffte allerdings, daß es nicht zum Äußersten kommen würde. Ab 1942 wurden alle Juden in Arbeitslager gebracht, die von der slowakischen Hlinka-Garde bewacht wurden. (Die Hlinka-Bewegung, der auch der slowakische Ministerpräsident Tiso angehörte, hatte ihren Namen von einem verstorbenen Priester. Sie stand rechts von den Konservativen.) Das Lager befand sich in Žilina. Nachdem ein Partisanenaufstand gegen Tiso niedergeschlagen worden war, marschierten die Deutschen in der Slowakei ein und veranlaßten die slowakische Regierung, die Nürnberger Rassengesetze anzuwenden. Onkel Heinrich, der Arbeiter und Sozialdemokrat, bei dem ich in der Slowakei gewohnt hatte, wurde mit seiner Familie nach Polen deportiert. Ich habe nie mehr etwas von ihnen gehört. Ebenso die Schwester meines Vaters mit ihrem Mann und den beiden Töchtern, die das Schuhgeschäft unter den Arkaden geführt hatten. Ihre Spuren verloren sich in einem polnischen Lager.

Flucht

Mein Vater begegnete im Lager einem Schulfreund, der der Hlinka-Garde angehörte. Um sie vor der Deportation zu retten, ließ der Schulfreund ihn, meine Mutter und die Schwester fliehen. Zunächst versuchten sie, die Berge im Osten zu erreichen. Unterwegs dachten sie schon daran, aufzugeben, als sie einen evangelischen Pfarrer kennenlernten, der ihnen zu einem Quartier bei einer Familie im Dorf und gefälschten, »arischen« Papieren verhalf. Um nicht aufzufallen, besuchten sie regelmäßig die Messe, später sang mein Vater auch im Kirchenchor. Er hatte große Angst um seine Tochter und betete, daß Gott sie retten möge. Zu dieser Zeit verriet ihn jemand, der ihn von früher her kannte, bei den Deutschen. Bevor man ihn und seine Familie aber verhaften konnte, flohen sie mit Hilfe von Kommunisten in die Hohe Tatra. Es war Winter. Durch unwegsames Gebiet und auf schwer zugänglichen Wegen erreichten sie eine Holzfällerhütte. Die goldene Uhr und etwas Schmuck, die mein Vater bei sich trug, hatte er zuvor beim Pastor zurückgelassen (ich habe von ihm alles nach dem Krieg zurückerhalten). Drei Monate versteckten sich meine Eltern und meine Schwester. Die Kommunisten, drei Burschen aus dem Dorf, versorgten sie in der primitiven Hütte mit Lebensmitteln. Einer von ihnen verliebte sich in meine Schwester und blieb bei ihr. Als das Frühjahr kam, begannen die Deutschen, die Gegend zu durchsuchen. Mein Vater, der zuckerkrank und geistig erschöpft war, fand, daß es besser sei, das Versteck zu verlassen und ins Dorf zurückzukehren. Als sie sich aber blicken ließen, wurden sie verhaftet und in das Zwangsarbeiterlager Sered an der ungarischen Grenze gebracht.

Sered

Ein Wiener namens Brunner war in Sered Lagerleiter. Die Lagerinsassen wurden ausgepeitscht und mußten nackt im Freien stehen ... Der oberste Capo der Lagerpolizei, selbst ein Jude, war ein Freund Brunners, und hatte ihn, als er noch ein »Illegaler« war, einige Zeit bei sich versteckt. Zu den Methoden der Nazis gehörte es, daß die Juden die Listen der Häftlinge, die nach Polen in die Vernichtungslager deportiert wurden, selbst zusammenstellen mußten. Der oberste Capo erhielt nur die Anweisung, eine bestimmte Anzahl für den Transport bereitzustellen. Wen er auswählte, war ihm überlassen. Auf diese Weise besaß er eine gewisse Macht. Er stammte übrigens aus dem XX. Wiener Gemeindebezirk. Schon kurz nach ihrer Ankunft machte er meiner Mutter den Vorschlag, ihre Familie zu beschützen, wenn sie seine Geliebte würde. Meine Mutter war damals zweiundvierzig Jahre alt und sehr hübsch. Sie beriet sich mit meinem Vater, und dieser erklärte sich aus Liebe zu seiner Tochter damit einverstanden. Von da ab wollte er jedoch nicht mehr leben.

Tod des Vaters

Als das Lager 1944 aufgelassen wurde, wurden alle männlichen Insassen in Viehwaggons nach Polen deportiert. Meine Familie sollte, es war die letzte Maßnahme, die der oberste Capo treffen konnte, nach Theresienstadt gebracht werden, wo wenigstens eine geringe Hoffnung zu überleben bestand, denn die Russen lagen schon nahe der Grenze. In Mährisch Ostrau hielt der Zug. Ein Teil der Waggons würde, so hieß es jetzt, nach Theresienstadt befördert, der andere nach Sachsenhausen. Meine Mutter und meine Schwester befanden sich in einem Waggon, der nach Theresienstadt, mein Vater und der Freund meiner Schwester in einem anderen, der nach Sachsenhausen fuhr. Mein Vater war damals vierundfünfzig Jahre alt. In der Bahnhofstation mußte sich die Familie voneinander verabschieden. Mein Vater war geistig schon abwesend, aber er begriff noch, was um ihn herum geschah ... Wegen seiner Zuckerkrankheit hätte er täglich mit Insulin behandelt werden müssen ... Bald darauf wurde eines seiner Beine brandig. Als er nicht mehr gehen konnte, wurde er, so erfuhr ich vom späteren Mann meiner Schwester, der alles mitansah, von der SS erschossen.

Theresienstadt war ein Ghetto mit jüdischer Selbstverwaltung. Bevor die Russen es befreiten, brachen Typhus und Ruhr aus, an denen auch meine Mutter und die Schwester erkrankten. (Zuletzt übertrugen sie die Ruhr auf mich. Ich leide heute noch an den Folgeerscheinungen in Form von Verdauungsbeschwerden.) Der jüdische Capo aus Sered hatte jetzt nichts mehr zu sagen. Meine Mutter mußte Kohle aus Waggons schaufeln. Sie wich ihm aus.

Auch in Theresienstadt gehörte es zu den Aufgaben eines Judenrates, die Deportationen zusammenzustellen. Man wußte allerdings schon, daß es Gaskammern gab. Das wichtigste Prinzip war daher, die Jugend zu retten, obwohl es selbstverständlich war, daß jeder (ob Kommunist, Orthodoxer, Österreicher, Franzose, Holländer oder Däne) im Judenrat die Seinen retten wollte. Einmal wurde ein Rot-Kreuz-Zug zusammengestellt, der in die Schweiz fuhr, es herrschte jedoch tiefes Mißtrauen gegen dieses Unternehmen, denn man befürchtete, daß der Zug in Wirklichkeit nach Polen gehen sollte ... Aber er fuhr tatsächlich in die Schweiz ... 1945 befreiten die Russen das Ghetto. Zuletzt gelangten meine Mutter und meine Schwester mit ihrem späteren Mann, der sie nach seiner Befreiung gesucht und gefunden hatte, auf einem Heuwagen nach Mikloš, wo ich sie wiedersah.

Zurück zum Militär

Nach einer Woche mußte ich mich beim Militär zurückmelden. Meine Familie wollte nicht mehr in der Slowakei bleiben, die schon immer judenfeindlich war. Die Tschechen hatten in der Zwischenzeit die Sudetendeutschen vertrieben. Dadurch gab es jetzt viele leerstehende Wohnungen und Häuser. Nun lief alles umgekehrt ab. Tschechen aus den Industriestädten strömten in das Sudetenland, aber auch Slowaken waren darunter. Das Sudetenland war die Beute. Das Gesindel betrat den Schauplatz, weil es hoffte, leichtes Spiel zu haben. Es nahm sich das, was die Sudetendeutschen zurücklassen mußten. Bei meiner Abreise begleitete mich der Mann meiner Schwester, um für seine Familie einen neuen Wohnort zu suchen. Ich wollte ihn überreden, nach Wien zu gehen, aber die Grenzen waren gesperrt. Die Rückreise war wieder beschwerlich. Wir hatten große Strecken zu Fuß zurückzulegen. Über Prag erreichten wir Pilsen, wo sich meine Einheit befand. Mein Schwager ging aber von Pilsen weiter nach Marienbad. Dort kam er später bei einer sudetendeutschen Familie unter, die wußte, daß auch sie ihr Land verlassen mußte ... Ich hätte sicher etwas für meinen Schwager erreichen können, aber der Gedanke, auf Raub auszugehen, stieß mich ab. Daher blieb ich in Pilsen. Mein Schwager hatte mit der sudetendeutschen Familie, wie ich hörte, von Anfang an ein gutes Einvernehmen. Als sie nach Deutschland auswanderte, löste er ihr die Wohnung gegen einen Geldbetrag ab.

Tomaschov

Eines Tages traf ich in Prag Tomaschov wieder: Es war ein merkwürdiger Zufall. Wir waren beide sehr bewegt und aßen im Hotel Alcron zu Mittag. Je länger wir uns aber unterhielten, desto weniger verstanden wir einander. Tomaschov war Kommunist geworden und begrüßte eine kommunistische Regierung in der Tschechoslowakei. Ich empfand nur Unbehagen bei diesem Gedanken und widersprach ihm. Es kam zu keinem Streit zwischen uns, aber ich sah ihn nie wieder.

In der »Pekla«, der »Hölle«

In Pilsen waren jene Soldaten der tschechoslowakischen Exilarmee zusammengezogen worden, die die Tschechoslowakei verlassen und nach England zurückkehren wollten. Es bestand eine Abmachung, daß alle Soldaten dorthin zurückkehren sollten, woher sie gekommen waren. Jene aber, die sich entschließen würden zu bleiben, durften abmustern. Alle Juden, mit denen ich Kontakt hatte, wollten nach England zurückkehren und auch alle Tschechen, die mit Engländerinnen verheiratet waren. Die Kaserne, in der wir uns aufhielten, hieß Pekla, »die Hölle«. Sie hatte zuvor als Theater oder Zirkus gedient. Weshalb sie diesen Namen trug, weiß ich nicht; für mich wurde sie aber wirklich zur Hölle, weil ich in ihr so lange auf den Rücktransport nach England warten mußte. Selbstverständlich wollte ich nicht in der Tschechoslowakei bleiben. Ich dachte »go west young man« ... Mein größtes Bedürfnis war, ein normales Leben zu führen. Meine Frau schrieb mir überdies Briefe, daß ich nach Oxford kommen solle. Aus der Pekla wurden regelmäßig Soldaten nach England zurückgebracht, ich kam aber aus unerfindlichen Gründen nicht an die Reihe. Ich hatte Angst, keine Ausreisegenehmigung zu erhalten und in der Kaserne bleiben zu müssen. Inzwischen hatte ich mich mit deutschsprachigen Juden befreundet, die auch tschechisch sprachen. Zwei davon fuhren zum britischen Konsulat und dem tschechischen Kriegsministerium und suchten um Ausreise- und Abrüstungserlaubnis an. Zugleich brachten sie meinen Antrag vor. Ich mußte aber noch zwei Monate in der Pekla ausharren und kam erst mit dem letzten Konvoi zurück nach England.

Abrüstung

Damals empfand ich England als meine Heimat. Von Harwich wurden wir mit Lastautos in einen kleinen Ort bei London gebracht, wo wir Urlaub bis auf Widerruf erhielten. Wir warteten noch auf die endgültige Demobilisation, die wir nach einigen Wochen erhielten. Von da ab waren wir Zivilisten.

Wiedersehen

Ich war fünf Monate von zu Hause weggewesen. Das Wiedersehen mit Eva und unserem Kind war wunderschön. Ich weiß heute noch, wie glücklich ich damals war. Wir zogen bald darauf nach London um, wo wir wieder eine kleine Wohnung in Paddington, in der Nähe des Austrian Centers fanden. Das Haus war schon etwas heruntergekommen, es stand jedoch frei, weil es seine Bewohner wegen der deutschen Bombenangriffe verlassen hatten. Wir lebten in ihm zusammen mit anderen Flüchtlingen.

Arbeitssuche

Bald sah ich, daß es schwierig für mich war, Arbeit zu finden. Mein letztes Zeugnis war auf deutsch abgefaßt, überdies haben die Engländer ein anderes Schulsystem. Daher mußte ich nehmen, was mir angeboten wurde ... Ich wechselte meine Stellen zwanzig Mal in fünfzehn Jahren, aber das war mir gleichgültig. Mir war anfangs nur wichtig, daß ich mit meiner Frau und unserem Kind zusammenbleiben konnte.

Der erste Arbeitsplatz war eine Linsenschleiferei in einem Industrievorort von London. Die Firma hieß Levers Optical Company. Sie stellte vor allem Brillengläser, aber auch Mikroskope in ihren Werksälen her. In der Früh läutete eine Glocke, und es wurde bis zehn Uhr ohne Unterbrechung gearbeitet. Hierauf wurde zehn Minuten Tea-Break gemacht, sodann setzten wir unsere Arbeit fort, bis die Glocke wieder läutete. Die

Mittagspause betrug dreißig Minuten. Pünktlich läutete wieder die Glocke. Um sechzehn Uhr läutete die Glocke abermals für einen zehnminütigen Tea-Break und um achtzehn Uhr zum letzten Mal, wenn Dienstschluß war. Ich kam ziemlich müde nach Hause. Nach einigen Monaten wurde ich in die Zentrale nach London versetzt, wo ich Brillengläser so zuschleifen mußte, daß sie in die verschiedenen Fassungen paßten. Die Arbeit war eintönig, außerdem sah ich keine Möglichkeit eines Fortkommens. Wenn ich das Reißzeug betrachtete, das ich seit meiner Flucht noch immer bei mir trug, erschien mir meine Arbeit noch trostloser. Den »Freytag«, das Lehrbuch für Maschinenbau, hatte ich längst verloren.

Die Ehe

Am Anfang war meine Ehe sehr gut, allerdings hatten wir uns viel seltener gesehen, da ich beim Militär war und es dadurch häufig zu Trennungen gekommen war. Außerdem war meine finanzielle Lage besser gewesen. Jetzt lebten wir immer zusammen und hatten wenig Geld. Allmählich entfremdeten wir uns voneinander. In Auseinandersetzungen drohte mir Eva sogar mit Selbstmord ... Eines Tages wollte sie mich verlassen ... Ich korrespondierte mit ihrem Vater. Er schrieb mir, daß ich es mit ihr immer schwer haben würde. Die Schwester, die bekannte Pianistin, sei immer die stärkere, Eva die schwächere gewesen. Evas größter Wunsch war es, Schauspielerin zu werden ... Im Film »Der dritte Mann« spielte sie eine kleine Rolle. Auch in einem englischen Fernsehspiel wurde sie besetzt. Sie verdiente aber zu wenig, und ich verdiente nicht genug, daher arbeitete sie als Kellnerin. Um unsere Lage zu verbessern, suchte ich um die englische Staatsbürgerschaft an.

Englischer Staatsbürger

Kurze Zeit darauf wurde ich von einem Scotland Yard-Beamten in unserer ärmlichen Wohnung besucht. Ich hatte gerade die Arbeit als Linsenschleifer aufgegeben, und er wollte wissen, weshalb. Zu meiner Überraschung wußte er alles über mich, vor allem, was ich in England gemacht hatte. Ihm war sogar bekannt, daß ich in Wien bei einer zionistischen Jugendbewegung gewesen war. England war damals noch in Konflikt mit Palästina ... Der Beamte wollte von mir wissen, ob ich noch immer Zionist sei, und nach Palästina auszuwandern beabsichtigte. Ich antwortete, daß ich in England bleiben und als englischer Staatsbürger dem Land dienen wolle.

Tatsächlich wurde mir bald darauf die Staatsbürgerschaft verliehen, ich mußte allerdings zehn Pfund Gebühren entrichten. In meiner Not schrieb ich dem früheren Direktor meines Vaters und bat ihn um die Summe. Er schickte sie mir auch zu meiner großen Freude.

Der englische Paß verhalf mit später dazu, daß ich meine Familie in der Tschechoslowakei wieder besuchen konnte.

Jahre vergingen jedoch, bis es so weit war.

Scheidung, 1948

Im selben Sommer kehrte die englische Familie, die London wegen der deutschen Bombenangriffe verlassen hatte, zurück, und wir mußten ausziehen. Wir fanden bald ein anderes Boarding-House, in dem wir bis zu unserer Scheidung wohnten. Wir stritten uns nämlich immer häufiger und nach einer großen Auseinandersetzung verließ ich die Wohnung. Eva verlor leicht die Nerven. Sie war damals Fotomodell und lernte dadurch andere Männer kennen. Das paßte mir nicht, und ich war eifersüchtig.

Bei meiner Scheidung unterschrieb ich alles, was man von mir verlangte.

Allein

Inzwischen ging ich den verschiedensten Arbeiten nach. Zuerst in einer Fabrik, die Bierkapseln herstellte, dann in einer Firma für Zauberartikel. Die Waren gingen in die ganze Welt: Überraschungsschachteln, aus denen Figuren sprangen, Spiele aus Karton. Als nächstes war ich in einer Fabrik beschäftigt, in der Glasknöpfe gemacht wurden. Ich wechselte alle paar Monate den Arbeitsplatz, aber ich verbesserte meine Sprachkenntnisse und hatte Umgang mit englischen Arbeitern. Ich lernte die Engländer noch mehr schätzen. Sie waren fair und weder neugierig noch ironisch oder sarkastisch. »You don't hit a drowning man«, sagt ein englisches Sprichwort.

Ich verdiente nur wenig. Ein Drittel davon ging für

die Miete auf, außerdem bezahlte ich, soweit es mir möglich war, für Ruth Alimente. Jede Woche holte ich unser Kind ab und ging mit ihm in den Zoo. Eva zog später zu ihrer Tante. Meine Mahlzeiten bestanden damals hauptsächlich aus fish and chips ... Manchmal nur aus chips. Trotzdem gab es Tage, an denen ich mich glücklich fühlte. Ich war einsam, aber ich fand in der Einsamkeit zu mir. Ich durchwanderte das East-End bis hinunter zu den Docks oder die Patticoat-Lane, in der sich ein Sonntagsmarkt befand. Schließlich hörte ich auf, das Kind zu besuchen, denn es brach mir jedesmal das Herz, wenn ich es wieder zurückbringen mußte.

Finden, verlieren

Bald nach meiner Scheidung lernte ich eine junge jüdische Frau aus Bremen kennen. Ich lebte ein Jahr mit ihr zusammen, und wir verstanden einander sehr gut. Sie wanderte jedoch, wie zuvor Lizzy, nach Amerika aus und wieder durfte ich meine Freundin nicht begleiten, da ich keine Einwanderungserlaubnis erhielt. Ich stand am Hafen und blickte dem Schiff nach, das langsam am Horizont verschwand. Damals verspürte ich einen Haß auf Amerika, der einige Zeit anhielt.

Dorothy

Auf einem meiner einsamen Spaziergänge begegnete ich einige Zeit später Dorothy Manly, einem Mädchen aus einer englischen Arbeiterfamilie. Sie arbeitete in einem Büro, ihr Bruder in einer Garage. Dorothy war keine gebildete Frau, sie stammte aus einer Londoner Arbeiterfamilie. Ich lernte aber viel von ihr über das Leben. Zusammen besuchten wir die Tate- und die National Galery, machten Ausflüge ans Meer und gingen häufig in die Oper. Dorothy liebte besonders die italienischen Komponisten. Eigentlich war ich wieder glücklich, nur der dauernde Arbeitsplatzwechsel belastete mich.

Jewish Chronicle

In meinem Hinterkopf war seit meiner Scheidung immer der Gedanke an Israel vorhanden gewesen. Nach dem Holocaust war ich sicher, daß die Juden ein eigenes Land brauchten, in dem sie nicht verfolgt werden konnten. Überdies war ich im Schomer gewesen, und das dort Gehörte wirkte noch in mir fort. Ich las regelmäßig den Jewish Chronicle. Eines Tages fand ich einen Artikel, der die Möglichkeit eines Arbeitsaufenthaltes in Israel beschrieb. Wenn man sich verpflichtete, ein Jahr in einem Kibbuz zu arbeiten, hieß es, würde einem die Fahrt im voraus bezahlt. Ich sprach mit Dorothy darüber. Sie war sofort einverstanden. Der Kibbuz, zu dem ich mich schließlich meldete, hieß Ogen (Anker). Wiener und tschechische Juden hatten ihn gegründet und besiedelt, darunter einige, die ich aus meiner Jugendzeit in Wien kannte.

Achter Bericht

Israel

Im Frühling 1952 fuhr ich mit Dorothy nach Israel, nachdem ich mich zu einem Einjahresdienst verpflichtet hatte, wie er in der Zeitung angeboten worden war. Die Reise führte uns mit der Bahn nach Dover, von Dover nach Calais und von dort nach Paris. Wir wohnten in einem kleinen Zimmer in der Rue Lafayette und besuchten den Louvre und das Sacré-Cœur. Das Schiff, mit dem wir nach Israel fuhren, die Negbaah, lag im Hafen von Marseille.

Im Zwischendeck reisten marokkanische Juden mit vielen Kindern, Bündeln – farbig, wie Zigeuner. Sie hielten sich den ganzen Tag über an Deck auf. Zuerst erreichten wir Neapel, es war uns aber nicht erlaubt, das Schiff zu verlassen. Die Reise führte uns an der Küste von Sizilien entlang weiter nach Kreta und von dort nach Haifa. Auf dem Schiff lernte ich einen marokkanischen Juden aus Jerusalem kennen, der mir aber unheimlich war.

Es war ein erhebender Moment, als wir uns endlich dem Hafen näherten. Als erstes sah man die Umrisse des Berges Carmel in der Ferne. Es war sehr heiß. Frauen einer Organisation brachten für die Einwanderer Tee und Sandwiches an Bord. Im Hafen warteten bereits zwei Mitglieder des Kibbuzes mit einem

Jeep auf uns, um uns nach Ogen zu bringen. Ich dachte, ich würde jetzt die Wüste sehen, tatsächlich fuhren wir durch eine subtropische Landschaft. Ogen liegt in der Nähe von Tel Aviv, nicht weit vom Meer. Wir erreichten den Kibbuz, kleine Häuser mit Veranden und Gärten. Alles blühte und duftete. Zuvor war an diesem Platz ein Sumpf gewesen.

Ogen

Der Kibbuz machte auf mich einen idyllischen Eindruck. Die Bewohner saßen am Abend vor dem Haus über Schachbretter gebeugt oder gingen spazieren. Kinder spielten auf den Wegen. Die Häuser waren frisch gestrichen. Ich glaube, es war Sabbat. Aus den Fenstern war Radiomusik zu hören ... Jeder begrüßte uns. Im Zentrum befand sich ein kleiner runder Platz mit einem Springbrunnen und dem Speisehaus, dem Chadar Ochel. Dort fanden Veranstaltungen und Versammlungen statt. Zuerst wurden wir einer Familie zugeteilt, die uns in das Kibbuzleben einführte, die Wäscheabgabe zeigte und die Gummiwarenfabrik, in der Reifen und Betteinlagen für Spitäler erzeugt wurden. In der Fabrik arbeiteten nur die Älteren, die Jüngeren wurden zur Landwirtschaft eingeteilt. Die Gummiwarenfabrik brachte das Geld in den Kibbuz. Mir gefiel das Leben dort nur am Anfang. Von den Wiener Juden traf ich niemanden, mit dem ich mich gut verstanden hätte. Sie waren alle doktrinär geworden, arbeiteten in ihrer Freizeit in ihren Vorgärten und hatten überhaupt eine Schrebergartenmentalität angenommen. Ich hatte daher kaum Kontakt mit ihnen. Die Menschen verändern sich in einem Kibbuz: Man muß sich dem Gemeinschaftsleben unterordnen, soll nicht kritisieren und sich bei der Arbeit engagieren. Das hat zur Folge, daß die Mitglieder sich allmählich ähnlich werden. Ich hatte überdies den Eindruck, vom wirklichen Leben abgeschlossen zu sein. Ich wollte das Land kennenlernen, die religiösen Strömungen und die Araber. Wir durften jedoch nur gelegentlich nach Jerusalem fahren und die Möglichkeiten, mit der arabischen Bevölkerung zu sprechen, waren beschränkt.

Ich verlasse den Kibbuz

Die Arbeitseinteilung brachte es mit sich, daß ich zum Nachtdienst eingeteilt wurde, während Dorothy Tagdienst machte. Wir waren ungefähr sechs Monate im Kibbuz, als sie sich in einen anderen Mann verliebte und unser Holzhaus verließ. Ich suchte sie überall, aber niemand sagte mir, wo sie war. In einem Kibbuz will man keinen Streit, alles soll friedlich ablaufen. Auch wenn jemand eine Partnerschaft beendet, soll es ohne großes Aufheben vor sich gehen. Man hatte vor mir wohl Angst und befürchtete, daß ich eine Szene machen würde – ich war übrigens auch in einer solchen Stimmung. Erst eine Woche später sagte man mir, wo sich Dorothy im Kibbuz versteckt hielt. Inzwischen kam ich mir wie ein Idiot vor. Jeder wußte, wo sie war, und keiner hatte mir etwas gesagt. Ich hatte mit Dorothy eine längere Aussprache. Als ich erklärte, daß ich den Kibbuz verlassen wollte, hielt mich niemand auf.

Tel Aviv

Man brachte mich nach Tel Aviv, wo ich eine Arbeit am Flughafen bei der Firma Bedek, Flugzeugservice, fand. Sie baute Ersatzteile und nahm Wartungsarbeiten und Reparaturen vor. Ich war zusammen mit einigen österreichischen Juden und Jüdinnen in der Lagerverwaltung beschäftigt. Die Mitarbeiter waren überaus offen und zugänglich. Trotzdem fühlte ich mich einsam. Nur Jaffa faszinierte mich. Man begegnete arabischen Juden und trank türkischen Kaffee ... Ich lernte dort einen katholischen Priester kennen. Er war dreißig Jahre alt und hieß Bruno Husar.

Bruno Husar

Bruno Husar war Jude und Dominikaner. Als Student war er von einem Pater Menasse getauft worden, der ebenfalls Jude war, aber Katholik wurde und als Missionar in Israel wirkte. Ich ging jeden Tag eine dreiviertel Stunde zu Fuß zu Pater Husar, um mit ihm zu sprechen. Er wollte eine jüdisch-christliche Kirche aufbauen mit einer hebräischen Kirchensprache anstelle der lateinischen. Auch jüdische Bräuche sollten integriert werden. Das Ganze war jüdisch-national gedacht. Am Abend stieg er auf das Dach des Klosters und betete dort. Die Begegnung mit ihm war eine Bereicherung für mich. Jesus war ja Jude. Die Bergpredigt hat mich schon als Jugendlicher sehr beeindruckt. Über Pater Bruno begann ich mich näher mit dem Christentum zu beschäftigen.

Nach England

Ich arbeitete inzwischen weiter in der Flugzeugfabrik, bis ich das Geld für meine Rückfahrt zusammengespart hatte. Insgesamt blieb ich fünfzehn Monate in Israel. Der Abschied fiel mir außerordentlich schwer. Für die Israelis ist es so etwas wie Verrat, wenn man das Land verläßt. Aber ich hatte ja die Absicht, wiederzukommen.

In London

In London fand ich ein Zimmer in meinem früheren Boarding-House. Ich fühlte mich jetzt frei und ohne Verantwortung und hatte die Absicht, die nächste Zeit auch so zu leben. Daher trat ich mit Ruth und Eva nicht in Verbindung.

Bei der Arbeitssuche tat ich mich leichter als früher: Mein Englisch war inzwischen schon sehr gut, ich dachte und träumte mittlerweile nur noch englisch. Eines Morgens bemerkte ich, daß ich auch meine Selbstgespräche auf englisch führte.

1954 fand ich Arbeit bei der BICC – der British Insulated Cable Construction. Sie nahm Verkabelungen in Städten und Dörfern auf der ganzen Welt vor. Ich wurde als Konstrukteur eingestellt und hatte die Pläne für die Kabelverlegungen zu zeichnen.

Marianne

An einem freien Wochenende lernte ich Marianne Chavernes, eine Hugenottin aus Paris kennen. Sie hatte in England studiert und arbeitete bei einer Handelsgesellschaft. Sie liebte mich von allen Frauen vielleicht am meisten. Als ich von meiner Firma nach Edinburgh versetzt wurde, versprach sie mir, nachzukommen. Aber Marianne wurde sehr krank. Sie mußte in London in ein Krankenhaus eingeliefert und später jahrelang gepflegt werden. Allmählich verloren wir uns aus den Augen.

Edinburgh

Edinburgh gefiel mir wie beim ersten Mal, als ich noch bei der tschechoslowakischen Exilarmee war. In London war ich fortlaufend unter Streß gestanden: Alles lag so weit auseinander und man hatte nur wenig Zeit. Hier war das Leben übersichtlicher. Auch gefielen mir die Häuser und Straßen. Rundherum erheben sich die Berge und im Herbst ist die Landschaft verwandelt vom Zauber der Farben rot und gelb.

Neunter Bericht

Hilde, 1956

Durch meinen Posten bei der Kabelfirma kam ich in ganz Schottland herum – in Gebirgsorte, zu Einzelfarmen, aber auch in Städte wie Dundee, Glasgow, Aberdeen, Inverness und Perth. Ich lernte selbst die Inseln kennen. Im Haus, in dem ich wohnte, begegnete ich einer jungen Deutschen aus Schwaben, Hilde. Sie arbeitete für die Caritas (eine katholische Hilfsorganisation), hatte in Freiburg studiert und war Sozialhelferin geworden. Ihre Aufgabe war die Betreuung von deutschen Kriegsgefangenen, die in Schottland geblieben waren, und Au-pair-Mädchen, die hier arbeiteten. In Bradford lebte ein deutscher Pfarrer, der nur selten nach Edinburgh kam – Hilde stellte in der Zwischenzeit die Verbindung zu ihm her.

Zu Weihnachten half ich ihr beim Aufstellen eines Christbaumes. Sie lud mich am Abend ein – es war das erste Mal, daß ich an einer Weihnachtsfeier teilnahm. Hildes Verlobung war gerade zerbrochen. Wir waren beide einsam und kamen uns rasch näher.

Hochzeit

Ein halbes Jahr später heirateten wir. Hilde gab ihre Stelle auf, da bereits ein Kind unterwegs war. Wir mieteten uns ein kleines Haus am Meer. In meiner Freizeit pflegte ich den Garten. Bislang hatte ich nur in Bed-Sitting-Rooms gelebt.

Meine Frau hatte einen hellen Verstand und war sehr gebildet. Ihr Vater war, wie ich von ihr erfuhr, Nationalsozialist gewesen, sogar Mitglied der SA. Ich konnte mich allerdings davon überzeugen, daß er kein Rassist war.

Hannah und Wendy

Hannah kam 1958 zur Welt.

Ich führte eine neue Art Leben. Hilde war sehr verträglich. Ich freute mich immer schon auf das Nachhausekommen.

In Edinburgh bekamen wir eine zweite Tochter, Wendy.

Wir hatten viele schottische Bekannte und auch deutsche. Am Sonntag machten wir Ausflüge nach Crammond ans Meer. Man konnte mit Booten aufs Wasser hinausrudern oder sich einfach am Waldrand ins Gras legen oder auf der Heide spazierengehen. Inzwischen war ich Mitglied der Labour Party geworden. Ich setzte mich auch bei den Wahlen für sie ein.

Wien, 1959

Nach zwanzig Jahren kehrte ich zum ersten Mal nach Österreich zurück, um meine Mutter in Wien zu treffen. Meine Schwester hatte keine Ausreiseerlaubnis erhalten. Wir wohnten am Fleischmarkt im Hotel Post. Nach meiner Ankunft ging ich in die Leopoldstadt. Vieles war noch zerstört, obwohl es schon Neubauten gab. Für die Orte hatte ich angenehme Empfindungen, für die Menschen, denen ich begegnete, weniger. Wien war für mich, trotz der Vertrautheit der Gassen und Häuser, eine fremde Stadt geworden. Zwar war alles noch an seinem Platz, die Parks, der Karmelitermarkt, der Donaukanal, aber ich traf niemanden aus meiner Kindheit und Jugendzeit. Aus eigenem Antrieb wäre ich nicht nach Wien gefahren, aber meine Mutter hing sehr an der Stadt und hatte mir zugeredet, mich hier mit ihr zu treffen und mir eine Rückkehr zu überlegen. Ich fand noch einige Geschäfte, die so aussahen wie früher, wie die Buchhandlung »Abheiter« in der Taborstraße, wo ich als Untergymnasiast die Bücher für die nächste Schulstufe umgetauscht hatte.

Die deutsche Sprache zu hören, war für mich angenehm. Ich setzte sie nicht mit dem Nationalsozialismus gleich. Ich dachte keinen Augenblick an Sippenhaftung, ich war vielmehr überzeugt, daß in anderen Nationen unter bestimmten Voraussetzungen dasselbe hätte geschehen können. Was ich am stärksten verspürte, war Trauer. Manchmal, wenn ich auf der Straße ging, fiel mir beim Anblick der Häuser ein, daß in ihnen möglicherweise alte Nazis lebten.

Das Papiergeschäft meines Onkels Elias war wie vieles verschwunden, an seiner Stelle fand ich jetzt ein Installateurbüro.

Meine Stimmung schwankte. Im Kaipark blühten gerade die Bäume. Ich ging zum Brunnen, alles war unverändert an seinem Platz, und doch, als sei es viele Jahre in einem Depot verschwunden gewesen.

Ich sprach mit keinem Menschen. Sie kamen mir seltsam störrisch vor. Von meinem Aufenthalt in England war ich gewohnt, daß die Menschen einander zulächelten, wenn sie in einen Bus einstiegen. Hier saßen sie grimmig in den Straßenbahnen. Ihre Gesichter waren finster und gehetzt. Ich dachte, »es wird schon seine Gründe haben«. Mit Sicherheit hatten sie vieles mitgemacht: Bomben, fremde Soldaten, den Tod von Verwandten. Die Menschen nahmen einander gar nicht wahr. Im Prater, den ich aufsuchte, war alles anders geworden. In meiner Erinnerung verband ich ihn mit Menschen, Musik, dem Ringelspiel – ich war mit meiner Familie häufig dort gewesen. Jetzt bot er einen trostlosen Anblick. Es gab nur Buden, die nicht geöffnet waren. Fast nichts war in Betrieb. Ich ging einmal die Hauptallee hinauf und hinunter. Als Kind hatte ich immer die von den Bäumen gefallenen Roßkastanien gesammelt. Das Café Constantin, in dem ich als Volksschüler »Kracherl« (eine Limonade) getrunken hatte, war noch geöffnet.

Am nächsten Tag schaute ich mich in der Leopoldsgasse um, wo ich in die Talmud-Thora-Schule gegangen war. Ich fand nur eine Baulücke ... Der Tempel war in der Reichskristallnacht abgebrannt. Ich dachte an die vielen jüdischen Menschen, die in der Leopoldstadt gelebt hatten. »Das ganze ist vorbei«, sagte ich mir, ohne irgendein Rachegefühl. Dann ging ich weiter zum »Schüttel«, wo Lizzy gewohnt hatte. Er sah aus wie früher. Auch das bewegte mich mehr, als ich vermutet hatte. Ich mußte daran denken, wie mein Leben mit Lizzy verlaufen wäre. Ich wurde wehmütig ... Nur das Wissen, daß ich in England eine Frau und Kinder hatte, tröstete mich.

Meine Mutter erzählte mir am Abend von ihrer Familie und wie es in der Tschechoslowakei aussah; sie wollte, daß ich nach Wien zurückkehrte. Ich antwortete, Wien sei abschreckend für mich. Natürlich gab es keine Hakenkreuze mehr zu sehen, aber ich wollte mit den ehemaligen Nazis und ihren Sympathisanten nichts mehr zu tun haben. Ich wollte überhaupt an die Problematik nicht mehr erinnert werden. Überall war nur das eine Thema zu hören: »Die Russen ... die Russen!« und: »Die Vergewaltigungen«. In mir stieg dann immer die Frage auf: Und was haben die Nazis mit den Russen gemacht? Und was mit uns Juden?

Neuerliche Pläne

Nach meinem Aufenthalt in Wien mußte ich merkwürdigerweise häufiger an die Stadt denken als früher. Vor allem spürte ich jetzt deutlich, daß ich kein »richtiger« Engländer war. Ein Engländer kann man nur sein, wenn man einen Großvater auf einem englischen Friedhof hat. Noch schwieriger ist es, ein Schotte zu werden. Die Schotten sind alle an Clans orientiert. Man bleibt immer ein Fremder. Natürlich war das *mein* Problem, und ich sagte mir auch, daß ich es mir selbst machte. Meine Bekannten waren ja immer freundlich zu mir, sie freuten sich darüber, daß Hilde und ich uns so gut eingelebt hatten. Sie hätten meine Gedanken vermutlich gar nicht verstanden.

Pittermann

Eines Tages las ich in der Zeitung, daß Bruno Pittermann in Österreich als Kandidat der Sozialistischen Partei Vizekanzler geworden sei. Ich erinnerte mich sofort daran, daß er im Arsenal zwei Jahre lang mein Lehrer für Deutsch, Geschichte und Geographie gewesen war. Nach einigem Zögern schrieb ich ihm daher einen Brief, in dem ich andeutete, welches Schicksal ich gehabt hätte. Zu meiner Überraschung antwortete er mir mit einer Einladung. Er fragte mich, weshalb ich nicht nach Österreich zurückkäme. Für den Fall, daß ich mich doch dazu entschließen könne, würde er mir behilflich sein. Das war für mich natürlich verlockend, denn mit meinen Gedanken war ich immer öfter in Wien gewesen.

Nach Deutschland

In der Zwischenzeit hatte uns jedoch eine Freundin meiner Frau besucht und Hilde zugeredet, nach Deutschland zu übersiedeln. Das ganze Land stünde im Zeichen des Wiederaufbaus und die wirtschaftliche Situation sei besser als anderswo. Außerdem hätte sie für die Anfangszeit ihre Verwandten in Eschenbach. Meine Frau drängte jetzt auf eine Entscheidung, und ich willigte ein. Trotzdem verließ ich Edinburgh schweren Herzens.

Eschenbach

Eschenbach ist ein kleines deutsches Städtchen. Die Bewohner waren so, wie man es von einer deutschen Kleinstadt erwartet ... Sie hatten von nichts eine Ahnung. Alles war sehr rein, sehr ordentlich. Das Motto lautete: Alles für das Heim. Sparsamkeit. Fleiß. Am Sonntag ging man zum Zuckerbäcker – trostlos.

Der Schwiegervater

Hildes Vater war ein vielseitiger Mann. Er war anders als die übrigen Eschenbacher. Als er aus Rußland zurückgekehrt war, war er sehr bedrückt gewesen von dem, was er erlebt hatte. Noch während der Nazizeit hatte er die Meinung vertreten, der Krieg könne aus moralischen Gründen nicht gewonnen werden. Die Untaten, die die deutsche Armee begangen habe, erlaube das nicht. Seit damals war er sehr verschlossen und blieb es bis an sein Lebensende.

München, Brown-Boveri

Wir übersiedelten bald nach München, wo ich bei Brown-Boveri als technischer Übersetzer zu arbeiten begann. Niemand sprach während der gesamten Arbeitszeit ein Wort. Der Vorgesetzte war ein ehemaliger Nazi. Nach dem Ersten Weltkrieg war er aus Deutschland nach Amerika ausgewandert und 1938 aus Begeisterung über Hitler zurückgekehrt. Er ließ mich fühlen, daß ich Jude bin. Wenn jemand eine neue Stelle annimmt, braucht er Hilfe – er aber machte mir Schwierigkeiten, wo er nur konnte.

Die Stadt gefiel mir. Wir bewohnten ein Haus zusammen mit einer anderen Familie. Es gab jedoch häufig Streit wegen der Gartenbenützung und anderer Nebensächlichkeiten. Nach dem Krieg wurde in Österreich und Deutschland viel häufiger gestritten. Vermutlich war die allgemeine Gereiztheit eine Auswirkung des Krieges und der Niederlage. Jedenfalls wollte ich nicht in München, nicht in Deutschland bleiben. Ich erinnerte mich wieder an den österreichischen Vizekanzler Pittermann und schrieb ihm neuerlich einen Brief, in dem ich ihm mitteilte, was inzwischen geschehen war.

Wien, 1962

Pittermann lud mich nach Wien ein und gab mir einen Termin, wann ich mit ihm sprechen konnte. Er antwortete mir in einem so vertraulichen Ton, daß ich Mut faßte und eine Bahnfahrkarte löste. Er empfing mich zehn Minuten lang, und schlug mir, da er auch Minister der Verstaatlichten Betriebe war, vor, mich bei der Bundesbahn oder der Post unterzubringen.

Schließlich einigten wir uns auf die Idee, daß ich mich zu Brown-Boveri Wien versetzen lassen solle. Als das Gespräch um eine geeignete Wohnung ging, spielte der Zufall eine Rolle. Das Haus, in dem meine Eltern gelebt und in dem ich einen großen Teil meiner Kindheit und Jugend verbracht hatte, war durch einen Bombentreffer zerstört worden. An der selben Stelle hatte man soeben einen neuen Gemeindebau errichtet. Pittermann verschaffte mir im gleichen Stockwerk, in dem ich seinerzeit mit meinen Eltern und meiner Schwester gelebt hatte, eine Wohnung. Das war ausschlaggebend für meine Rückkehr. Ich hatte nicht den Eindruck, daß man mir etwas schenkte, sondern daß ich ein Anrecht darauf hatte. Heute bin ich mir sicher, daß ich nicht zurückgekehrt wäre, hätte Pittermann nicht alles für mich geregelt. Nicht etwa, weil ich Österreich haßte, sondern weil mich meine Abneigung gegen Ämter daran gehindert hätte.

Zehnter Bericht

Übersiedlung

Es beunruhigte mich nicht, daß das Haus, in dem ich als Kind gewohnt hatte, verschwunden war. Ich sah es vielmehr als Strafe für die Mieter an, die nach uns die Wohnungen bezogen hatten. Unabhängig davon freute ich mich, daß ich jetzt in einer Gegend wohnte, in der ich Bescheid wußte. Ich wurde zum Direktor von Brown-Boveri geschickt, der mich als Ingenieur anstellte. Das Gehalt war selbst für damalige Verhältnisse niedrig, ich nahm die Stellung aber bereitwillig an, weil ich endlich eine Arbeit verrichten konnte, die ich gelernt hatte und der Name der Firma angesehen war. Vier Wochen später übersiedelte meine Frau mit den Kindern und dem gesamten Haushalt nach Wien.

Fremd in Wien

Bei meinem Wienbesuch, der einige Jahre zurücklag, hatte ich mich die ganze Zeit über als Fremder gefühlt. Ich wußte damals zwar schon, daß fast keine Juden mehr in Wien lebten, aber mein Wissen war nur theoretisch gewesen. Jetzt aber, da ich endgültig zurückgekehrt war, kam mir diese Tatsache schockartig zu Bewußtsein. Ich empfand von da an lange Zeit eine

Abneigung gegen die Bewohner der Stadt. Ein morphiumsüchtiger Wiener Arzt, den ich aufsuchte, verschrieb mir das Aufputschmittel Preludin, damit ich besser mit meinen Depressionen fertig würde. Zuerst nahm ich eine Tablette am Tag, dann zwei, zuletzt drei. Der Arzt starb aber nach einem Jahr, und ich mußte von da ab wieder ohne Medikamente auskommen. Das Preludin machte mich in erster Linie selbstbewußter und ließ mich meine Müdigkeit nicht so stark fühlen. Ich mochte mein Spiegelbild und war optimistischer, meine Probleme zu meistern. Anfangs hatte ich versucht, mich abzukapseln. Jedes Mal, wenn ich die Straße betreten hatte, war mir unheimlich gewesen. Ich hatte mir dann gedacht, daß ich nicht hätte zurückkommen sollen, und es war mir bewußt geworden, daß ich mit meiner Rückkehr einen Fehler begangen hatte.

Ich verspürte keinen Haß, ich fand nur überall die Bestätigung, daß das, was einmal gewesen war, unwiderruflich der Vergangenheit angehörte. Merkwürdigerweise machten mich meine Erlebnisse wieder jüdisch, in England hatte ich ja keine Verbindung zum Judentum gehabt.

Jüdisches Leben

Ich ging an einem Freitag abend in die Seitenstettengasse zur Synagoge, meldete mich in der Kultusgemeinde an und besuchte den Gottesdienst. Besonders berührte es mich, die hebräischen Gebete zu hören. Am Gottesdienst hatten nur wenige alte Menschen teilgenommen. Es gab offenbar keine Jugend mehr und ich hatte den Eindruck, daß das jüdische Element von Wien mit meiner Generation im Aussterben begriffen war (erst die Flüchtlinge aus Ungarn und der Tschechoslowakei füllten die Kultusgemeinde später auf und brachten wieder Leben in sie).

Nach dem Gottesdienst ging ich in den Stadtpark. Beim Anblick der Passanten dachte ich: »Die haben das gemacht.« Ich kam mir vor wie der Reiter über dem Bodensee. Natürlich hatte meine Übersiedlung diese Gedanken erst hervorgerufen, denn ich besaß kein Kapital und war deshalb gezwungen, von nun an in Wien zu bleiben. Nur mein englischer Reisepaß gab mir ein Gefühl von Sicherheit. Immer wieder fragte ich mich, was mich wieder nach Wien geführt hatte, und ich kam zu dem Ergebnis, daß es meine Wurzeln sind: vor allem die Sprache, aber auch die Stadt und ein gewisses Heimatgefühl. Die Juden waren zwar verschwunden und die Nichtjuden mir fremd geworden – aber die Parkanlagen, die Straßen, der Kahlenberg, die Donau ... Sie sind auch ein Teil der Heimat, nicht nur die Menschen. Außerdem empfand ich eine Neugierde auf meine zukünftigen Erfahrungen.

Damals ist aber auch ein Mißtrauen in mir entstanden, das mir bis heute geblieben ist: gegen Trachtenanzüge und Lodenmäntel oder Frauen mit Trachtenhüten und Federn ... Es kommt jedoch vor, daß ich mit einem solchen »Trachtenmenschen« spreche, und er lächelt mich zu meiner Überraschung an. Ich trage übrigens selbst mitunter einen Trachtenjanker, meinen »Tarnjanker«, um nicht aufzufallen.

Elfter Bericht

Spurensuche

Die Zerstörungen, die noch zu sehen waren, riefen in mir keine Anteilnahme hervor. Eher dachte ich mir: Zuwenig! Ich schaute mich tagelang in der Leopoldstadt um und konnte nur langsam das Ausmaß der Vernichtung begreifen. Das jüdische Waisenhaus war jetzt, wie ich resigniert feststellte, eine Großwäscherei. Vor dem Haus, in dem meine Großmutter gewohnt hatte, überkam mich dann eine so starke Traurigkeit, daß ich es zunächst nicht betreten konnte. Später stieg ich die Stiegen in den ersten Stock hinauf. In diesem Augenblick wurde die Tür geöffnet, und eine Frau erschien auf dem Gang. Ich fragte sie, wie lange sie hier wohne, und sie antwortete, seit 1939. Ich machte kehrt. Mein Blick fiel durch das Gangfenster in den ehemaligen Garten. Er war jetzt einer Garage gewichen. Da überkam mich Zufriedenheit, daß auch er verschwunden war.

Erlebnisse

Es wunderte mich nicht mehr, wenn ich eine Hakenkreuzschmiererei sah, aber ich empfand Verachtung. Ich mißtraute dann auch dem Land und allen Österreichern. An den Zeitungsständen fand ich die National- und Soldatenzeitung frei ausgehängt, obwohl sie schon damals als antisemitisch berüchtigt war. Ich kaufte sie mir aus diesem Grund zwar ein oder zwei Jahre lang fast jede Woche, aber ich hatte es nicht für möglich gehalten, daß so etwas noch immer einen Leserkreis fand. Später machte ich mich auf die Suche nach jüdischen Freunden aus meiner Schulzeit. Ich fand keinen einzigen mehr. Ich lernte nur eine alte Dame kennen, Olga Bader, die das Café Augarten besessen hatte. Während des Krieges war sie nach Israel geflüchtet, und da es ihr dort nicht gefallen hatte, in den fünfziger Jahren nach Wien zurückgekehrt. (Außerdem bezog sie hier ihre Pension.) Ich besuchte sie öfter in der Negerlegasse. Wenn wir miteinander sprachen, sagte ich ihr immer, wie leid es mir täte, daß ich nicht in England geblieben sei.

Fünf oder sechs Jahre lang habe ich meine Rückkehr bereut, und nur langsam fing ich an, mich mit den Umständen abzufinden.

Über Wien

Wien kam mir im Vergleich zu London provinziell vor. Ich vermißte vor allem die verschiedenen Nationalitäten. Außerdem waren die Menschen in England ruhiger gewesen. Man war auch stolz darauf, die Nazis besiegt zu haben, während man sich in Wien nach wie vor darüber beklagte, was man mit den Russen mitgemacht hatte. Wenn mir die Klagen zuviel wurden, warf ich ein: »Die Deutschen waren in Rußland wahrscheinlich auch nicht besser.« – Das hörte man aber nicht gerne. Olga Bader lebte hingegen gerne in Wien, sie fand jedoch keinen Anschluß. Jeden Tag ging sie in ihr Kaffeehaus. Sie war sehr einsam und dachte nur an die Vergangenheit. Alle ihre Verwandten waren umgekommen.

Über das Telefonbuch kundschaftete ich eines Tages meine Cousine Erika aus. Sie führte ein kleines Antiquitätengeschäft. Als Halbjüdin war sie während des Krieges in Wien geblieben, weil sie schon als Kind getauft worden war und falsche Papiere besaß. Dadurch war sie geschützt gewesen. Die Begegnung mit ihr war freudig. Sie haßte die Nazis, wollte aber vom religiösen Judentum auch nichts wissen. Schließlich versuchte ich noch, mit einem nichtjüdischen Schulkameraden Kontakt aufzunehmen. Ich schrieb ihm einen Brief. (Soviel ich wußte, war er inzwischen Polizeibeamter geworden.) Er antwortete mir darauf, er könne sich an mich nicht erinnern und wolle mit mir auch nichts zu tun haben.

Daß ich nicht antiösterreichisch wurde, lag nur an meiner Frau, die im besten Sinne christlich war. Das Antisemitische sitzt so tief im österreichischen Volk, daß es sich nicht einmal darüber im klaren ist. Ich denke nur an verschiedene sprachliche Ausdrücke, so sagt man in Wien zur Clitoris: »Jud« ... Auch eine Zigarette, die nicht richtig angezündet ist, heißt »Jud« ... Man spricht von »jüdischer Hast« oder daß es zuginge »wie in einer Judenschul'« ... Als ich zum Treffen mit meinen ehemaligen Schulkollegen in das Arsenal ging, war ich der einzige Jude, der in unserer Klasse übriggeblieben war. Die Begegnung war meinen ehemaligen Schulkollegen offenbar nur peinlich und ich sagte mir, daß ich ihre Bekanntschaft vergessen müsse. Natürlich suchte ich auch unseren Hausmeister, Herrn Wessely, auf. Er hatte sich zu meiner Freude nicht geändert, war als Straßenbahner in Pension gegangen und schimpfte jetzt über die Sozialdemokraten, weil auch sie Mitglieder hatten, die antisemitisch waren. Er wunderte sich darüber, daß ich überhaupt zurückgekehrt war, und ich mußte mich dafür quasi bei ihm entschuldigen. Er war der einzige, den ich getroffen habe, der Mitgefühl mit dem Schicksal der Juden hatte.

Österreichische Staatsbürgerschaft

Bald nach meiner Rückkehr verschaffte mir Pittermann die österreichische Staatsbürgerschaft. Ich hätte sie nicht angenommen, wenn ich dafür die englische hätte aufgeben müssen. Selbst heute würde ich eher die österreichische zurücklegen als die englische, denn wenn ich gezwungen wäre, wieder das Land zu verlassen, besäße ich wenigstens einen englischen Paß.

Auf dem Land

Brown-Boveri brachte den elektrischen Strom in die entferntesten Dörfer und Gehöfte. Jeden zweiten Monat fuhren wir einige Tage nach Kärnten auf Montage. Mir kamen die Menschen in den Bundesländern im

Vergleich zu den Wienern unschuldiger vor. Die Wiener erschienen mir immer unaufrichtig, mit ihrer angeblichen Besinnung auf die kulturellen Leistungen der Juden und dem versteckten oder offenen Antisemitismus andererseits. Ich fuhr gerne aufs Land. Ich habe dort keine antisemitischen Erfahrungen gemacht, obwohl ich weiß, daß man sie auch dort kennt.

Die Arbeit

Der Leiter unserer Gruppe, ein Sozialist, lehnte Juden überhaupt ab. Sprach er über jemanden, der irgendwo Einfluß hatte, nannte er ihn, egal ob er Jude oder Nichtjude war, einen »Hofjuden«. Innerhalb der Gruppe gab es aber keine judenfeindlichen Bemerkungen. Bei meinem Eintritt hatte ich ja wegen der Feiertage meine Religion angeben müssen – man wußte also, daß ich Jude war. Im Speisesaal trafen wir hingegen viele Gruppen, die mich nicht kannten. Einmal war in einer Zeitung ein Bericht über eine Gedenkfeier in Mauthausen zu lesen. Daraufhin sagte ein Arbeiter einer anderen Gruppe: »Es können nicht so viele vergast worden sein, wenn Hunderte an der Gedenkfeier teilgenommen haben.« Ich ließ mir das nicht gefallen, worauf sich der Betreffende entschuldigte. Fielen antisemitische Bemerkungen, widersprach zumeist nur ein Burgenländer aus Frauenkirchen, ein hilfsbereiter und gütiger Mensch, der zugab, daß man schon im Krieg von der Existenz der KZs gewußt habe. Es habe sogar die Redewendung gegeben: »Sei still, sonst verläßt du das Haus durch den Rauchfang!« erzählte er mir. Übrigens hatte es in Frauenkirchen vor dem Krieg eine jüdische Gemeinde gegeben – nun war sie verschwunden.

Die Familie

Nach meinen beiden Töchtern brachte meine Frau unseren Sohn Walter und unsere Tochter Dorli zur Welt, zuletzt die Zwillinge Mirjam und Regina. Ich schickte meine Kinder, sobald sie sechs Jahre alt waren, in den Schomer, den es jetzt wieder gab: eine jüdische Insel im großen arischen Meer.

Vor zehn Jahren starb meine Frau an Krebs. Es war ein furchtbarer Schlag für mich. Alle unsere Kinder waren noch unselbständig. Die Kollegen in der Firma nahmen sehr an meinem Schicksal Anteil: Sie sammelten sogar Geld für mich.

Nach dem Begräbnis hatte ich vor, mit den Kindern nach Israel auszuwandern. Ich dachte mir, daß es in den Kibbuzim einfacher sein würde, für sie zu sorgen. Aber ich hatte bis zu meiner Pensionierung noch zwei Jahre zu arbeiten. Seit meiner Rückkehr nach Wien hatte ich mich keiner zionistischen Gemeinschaft mehr angeschlossen. Nach dem Tod meiner Frau wandte ich mich aber wieder verstärkt den religiösen Ideen zu.

Zwölfter Bericht

Walter

Mein Sohn Walter wurde 1962 geboren. Er war, wie alle meine Kinder, auf Wunsch meiner Frau katholisch getauft worden. Bei ihrem Tod traten meine Kinder aus der Kirche aus und wurden, so wie es ihrem und meinem Wunsch entsprach, jüdisch. Walter war damals fünfzehn Jahre alt. Er war in der Kleinen Sperlgasse zur Volksschule gegangen, wie ich.

Es war alles wieder so, als sei nichts geschehen. (Als ich allerdings in die Schule gegangen war, um meine alten Volksschulzeugnisse zu holen, hatte man mir mit gespielter Entrüstung erklärt, man könne sie mir nicht ausfolgen. Die Juden hätten, nachdem sie 1939 vor der Deportation in das Gebäude gesperrt worden waren, damit die Öfen beheizt.)

Nach der Volksschule besuchte Walter das Gymnasium in der Stubenbastei. Wie meine anderen Kinder ging auch er in den Schomer.

Noch vor seiner Matura fuhr er auf Urlaub nach Israel und kam begeistert zurück. Zu Hause hörte er stundenlang Kassetten mit Musik, die er von seiner Reise mitgebracht hatte. Er sagte mir, er wolle auswandern. Ich riet ihm aber, daß er zuerst in Wien studieren solle. Er inskribierte nach der Matura auch Geschichte und Politologie, wechselte jedoch bald zur

Judaistik. Ich hätte ihn lieber etwas Praktisches studieren lassen, wie Welthandel oder Maschinenbau, Walter konnte sich jedoch nicht dafür entscheiden.

Seit der Mittelschule war er mit Olga befreundet. Sie entstammte einer russisch-jüdischen Familie und wurde später Dolmetscherin für Russisch und Spanisch.

Nach der Matura hielt sich Walter ein Jahr in Israel auf, wo er als Jugendführer ausgebildet wurde. Unter anderem lernte er fließend hebräisch. Olga besuchte ihn in dieser Zeit zweimal. Damals war er schon depressiv und unentschlossen, andererseits aber auch nicht leicht von seiner Meinung abzubringen. Nachdem er das Seminar in Israel besucht hatte, machte er eine religiöse Phase durch. Er hielt gewissenhaft die Sabbatvorschriften ein und legte beim Morgengebet die Gebetsriemen, die Teffilin an. Außerdem aß er vegetarisch, weil er gegen das Töten von Tieren war. Er rauchte nicht, trank kaum und kam nie mit Drogen in Berührung. Seine politische Einstellung war zionistisch – sozialdemokratisch.

Im Grunde genommen machte er einen heiteren Eindruck. Daneben war er aber häufig abwesend und beantwortete Fragen nicht, so daß man sie ihm ein zweites Mal stellen mußte ... Ich mußte ihn fragen und nochmals fragen. (Es war, als ob man ihn aus einem Traum aufwecken müßte.)

Schließlich fuhr er noch ein drittes Mal nach Israel, diesmal in einen Kibbuz, mit der Absicht herauszufinden, ob er bleiben wollte. Die längste Zeit arbeitete er als Traktorfahrer; er schrieb Briefe, und Olga besuchte ihn. Als er nach einem Jahr zurückkehrte, war er vom

Kibbuz enttäuscht. Er könne sich nicht vorstellen, sagte er zu mir, ein ganzes Leben auf diese Weise zu verbringen. Vor allem hatte er sich den Kibbuz brüderlicher vorgestellt. Wahrscheinlich hatte er ihn zu sehr idealisiert.

Walter war in der marxistischen Gruppe kühl behandelt worden. Von einem religiösen Kibbuz wird man besser aufgenommen, man wird dort mehr als Individuum geachtet.

Olga und Walter waren nach seiner Rückkehr jeden Tag zusammen. Sie war hübsch, intelligent und sehr ehrgeizig. Anfangs war Walter noch unentschlossen, ob er nach Israel zurückkehren würde. Olga riet ihm ab. Er hatte schon sein Flugticket in der Tasche, als sie seinen Paß versteckte. Daraufhin ging er zur »Wache«, zur »Security«.

Ich war verwundert darüber, weil er als Pazifist gegen Waffen war. Er hatte jedoch die Idee, bei der Wache so viel zu verdienen, daß er sich damit sein Studium bezahlen konnte ... Das haben viele jüdische Studenten gemacht. Er wohnte jetzt häufig bei Olga und trug die Waffe in einem Gürtelhalfter bei sich. Zu Hause entlud er sie und legte sie in sein Zimmer. Im Sommer 1986 lernte Olga einen anderen Burschen kennen. Daraufhin zog Walter verbittert aus. Trotzdem gingen sie freundschaftlich auseinander. Damals warteten in Wien aus Persien geflüchtete Juden darauf, nach Amerika auswandern zu dürfen. Die Security beschützte sie, da man Attentate befürchtete. Walter verliebte sich in eine der jungen Perserinnen und wollte sie heiraten. Nach einigen Wochen fuhr sie nach Amerika, um sich mit ihren Brüdern, die in Los

Angeles einen Supermarkt führten, abzusprechen. Walter reiste ihr nach. Man empfing ihn frostig. Die Perser haben eine andere Mentalität als wir. Außerdem war Walter ihnen zu wenig wohlhabend. Er blieb nur eine Woche in Los Angeles, obwohl er die Absicht gehabt hatte, sich dort länger aufzuhalten. Als er nach Wien zurückkehrte, fühlte er sich nirgendwo mehr zu Hause. Er übernachtete, wo er sich gerade befand, entweder bei einer seiner Schwestern oder bei mir. Er gab viel Geld für Telefonate nach Amerika aus, aber es war schwierig für ihn, das Mädchen zu sprechen. Am 22. Dezember rief er in Los Angeles an. Er erreichte nur einen der beiden Brüder, der ihm erklärte, daß seine Schwester nicht nach Wien kommen würde und er sie von jetzt ab in Ruhe lassen möge. Walter machte gerade Dienst im jüdischen Altersheim. Um Mitternacht starb ein alter Mann, mit dem er oft gesprochen hatte und an dem er hing wie an einem Großvater.

Am nächsten Morgen fand ein Polizist Walter tot in der Portiersloge. Er hatte sich in das Herz geschossen.

Danach

Um sieben Uhr morgens läutete es an meiner Tür. Als ich sie öffnete, stand Dr. Stein von der Israelitischen Kultusgemeinde im Stiegenhaus. Hinter ihm warteten zwei Burschen. Dr. Stein fragte mich, ob er eintreten dürfe, und ich antwortete ihm, es sei nicht möglich, ich sei nicht angekleidet. Daraufhin sagte er: »Ja, aber wir müssen eintreten!« Ich zog mich rasch an und ließ Dr.

Stein und seine Begleiter herein. Er teilte mir in sehr bewegten Worten mit, was sich ereignet hatte. Es hätte keinen Sinn, wenn ich zum Altersheim fahren würde, sagte er, die Polizei habe die Sache in die Hand genommen. Man vermutete von Anfang an Selbstmord.

Walter war für den Freitod eingestellt. Als Arthur Koestler und seine Frau Selbstmord begingen, sprachen wir darüber, ebenso beim Selbstmord von Jean Amery. Wir stimmten überein, daß der Körper nur einem selbst gehört, und daß es niemanden etwas angeht, was man damit macht.

Dr. Stein und seine Begleiter gingen wieder. Ich rief der Reihe nach meine Kinder an. Es waren eine Menge Wege zu erledigen. Ich war wie gelähmt. Auf irgendeine Weise ist es immer die Schuld des Vaters, wenn sein Sohn sich das Leben nimmt.

Am selben Tag brachten mir seine Kollegen vom Sicherheitsdienst zwei Koffer mit den Habseligkeiten.

Ich habe Walter nicht mehr gesehen. Bei den Juden muß das Begräbnis rasch vor sich gehen, so verlangt es die Vorschrift. Viele Menschen kamen auf den Friedhof, ich habe das gar nicht richtig erfaßt.

Nach dem Begräbnis folgten mir der Rabbi und Freunde von Walter in die Wohnung und beteten dort. Das wiederholte sich jeden Morgen eine Woche lang. Immer war die Wohnung voller Menschen.

Meine Familie ist jetzt zerbrochen. Zuerst durch den Tod meiner Frau, dann durch den meines Sohnes.

Heute denke ich mir oft, daß die Sache mit Walter nicht geschehen wäre, wenn meine Frau noch gelebt hätte.

Ein Jahr mußte ich jeden Abend den Kaddisch beten, den gewöhnlich der Sohn nach dem Tod seines Vaters spricht:

»Erhoben und geheiligt werde Sein großer Name in der Welt, die Er nach seinem Willen erschaffen, und Sein Reich erstehe in eurem Leben und in euren Tagen und dem Leben des ganzen Hauses Israel schnell und zu naher Zeit, sprechet: Amen! ... Möge Erhörung finden das Gebet und die Bitte von ganz Israel vor seinem Vater im Himmel, sprechet: Amen! ... Fülle des Friedens und Lebens möge vom Himmel herab uns und ganz Israel zuteil werden, sprechet: Amen! ... Der Frieden stiftet in Seinen Himmelshöhen stifte Friede unter uns und ganz Israel, sprechet: Amen!«

Einige Zeit ist vergangen, seit ich Bergers Bericht in meinen Notizbüchern aufgeschrieben habe.

Ich ging in den Schlachthof und in das Landesgericht. Beide haben mehr gemein, als man glaubt. (In einem der vielen Prozesse, die ich sah, stand ein Jusstudent aus dem Dorf vor Gericht, Alois Jenner. Er war wegen Mordes angeklagt.) Ich war auch im Obdachlosenasyl und in der Irrenanstalt (wo mir ein weiterer Bewohner aus dem Dorf begegnete, Franz Lindner, der mit niemandem spricht). Und ich bin in die Leopoldstadt gegangen und auf den Stephansdom gestiegen. Darüber habe ich für Zeitungen geschrieben und darüber sind Jahre vergangen. Ich bin mit Berger immer in Verbindung geblieben.

Seine Jugendliebe Lizzy hatte in Chicago einen Geschäftsmann geheiratet und mit ihm eine Familie gegründet, hatte mir Berger erzählt. Mehrmals flog sie mit ihrem Mann nach Wien und gemeinsam trafen sie Berger in einem Kaffeehaus.

Vor einem halben Jahr verabredete ich mich mit Berger in der Akademie der Bildenden Künste, um gemeinsam das berühmte Weltgerichts-Triptychon von Hieronymus Bosch anzuschauen. Der linke Teil stellt den Kampf Luzifers mit der Engelschar des Erzengels Michael dar; darüber, in einer Lichtwolke, thront Gott. Die abgefallenen und besiegten Engel stürzen als riesige Insekten in das Paradies, das sich unter ihnen ausbreitet. Im Paradies ist die Schöpfung Evas aus der Rippe Adams dargestellt, der Sündenfall und die Vertreibung Adams und Evas durch den Erzengel Gabriel. Das Böse, sagte Bosch, war schon vor Adam und Eva auf der Erde. Auch unter den früheren Geschöpfen Gottes, den Engeln, die vor den Menschen geschaffen worden sind, existierte das Böse. Fast ist es so, als wollte Bosch zeigen, daß alle Schöpfungen Gottes die Möglichkeit zum Bösen enthielten und daß das Böse, war es als Möglichkeit vorhanden, auch Wirklichkeit wurde. Wir setzten uns auf die Bank vor dem Triptychon und lasen im Katalog, der die Einzelheiten auf den Bildern deutet und beschreibt. Es ist ein Getümmel von Menschentieren und Tiermenschen zu sehen, von Ungeheuern und Dämonen, die im Zeichen der Gewalt vereint sind. Die Erde ist ein riesiger Folterkeller, in dem die Gefolterten mit Hufeisen beschlagen, erstochen, geröstet, verbrannt, durch den Fleischwolf gedreht, gerädert, von Pfeilen durchbohrt und in Exkrementen ertränkt werden. Das Gemetzel setzt sich in der Hölle fort, nur daß Gott nicht mehr über ihr thront, sondern Luzifer, der gefallene Lichtträger, die Herrschaft angetreten hat.

»Die Erde ist die Hölle«, sagte Berger in die Stille der Gemäldegalerie hinein, in der nur der Parkettboden knackte, wenn der Aufseher sein Gewicht auf das andere Bein verlegte.

Einige Tage später rief mich Berger an und erzählte mir, daß Lizzy bei ihm gewesen sei. Ihr Mann sei vor einem Jahr gestorben, erzählte er weiter, und sie habe den Nachlaß mit seinen deutschen Verwandten zu regeln gehabt. Dadurch hätte sie die Gelegenheit für einen Abstecher nach Wien wahrgenommen. Heute sei sie nach Amerika zurückgeflogen, setzte er fort, aber sie habe ihm versprochen, wiederzukommen.

Ich empfand nicht mehr den Wunsch, auf das Ende der Geschichte mit Lizzy zu warten. Vielmehr fing ich an, das Leben Bergers in jenem Augenblick niederzuschreiben, in dem er nach einem endlos langen Sturz auf dem Boden aufgeschlagen war und sich wie durch ein Wunder wieder erhob.

»Kein Zweifel: Gerhard Roth gehört neben Thomas Bernhard und Peter Handke zu den bedeutendsten österreichischen Gegenwartsautoren«.

Ulrich Greiner, FAZ

»Gerade das Unsensationelle, absolut Unprätentiöse von Gerhard Roths Erzählsprache ist es, was einen in das Buch hineinzieht«

Jörg Drews, Deutschlandfunk